Barbara Rias-Bucher

Vegetarische Aufläufe

CORMORAN

Inhalt

Vegetarisch genießen – frisch aus dem Backofen

Eier im Auflauf sind nicht notwendig: Bindung gibt auch Käse, für Lockerheit sorgt vollfettes Sojamehl aus dem Naturkostladen oder Reformhaus: Pro Ei verrührt man 25 Gramm Sojamehl mit 50 Milliliter kaltem Wasser.

Aufläufe, Gratins und Soufflés passen zu allen Gelegenheiten: Der einfache Auflauf ist preiswertes Essen für viele, süß erfreut er vor allem Kinder. Das schnelle Gratin gelingt Ungeübten, Singles und allen, die lieber wenig Zeit in der Küche verbringen und trotzdem gut essen wollen. Das edle Soufflé macht Furore bei Gästen und Festen und erfordert nicht einmal hohe Kochkunst. Und wenn Sie all diese kulinarischen Renner vegetarisch leicht zubereiten, haben Sie modernes leichtes Kochen und das Wohl Ihrer Gesundheit auf höchst schmackhafte Weise kombiniert.

Was geht statt Fleisch und Fisch?

Kurz gesagt: Alles, was Sie gerne mögen. Speckwürfelchen zum Beispiel ersetzen Sie durch kräftig geröstete Croûtons aus kernigem Vollkornbrot, unter einer Haube aus Kartoffelpüree schmeckt Gemüse mit Knoblauch, Paprikaschoten füllt man mit Getreide und würzigen Pilzen, im Nudelauflauf sorgen Tomaten mit Kräutern für Saft und feines Aroma.

Die richtige Form

Es kommt darauf an, was Sie zubereiten wollen: Für Gratins nimmt man weite Formen mit niedrigem Rand, denn hier ist die Kruste wichtig. Große Mengen machen Sie am besten in der Fettpfanne des Backofens. Die Zutaten sollten Sie nur zwei bis drei Finger hoch einschichten, sonst kann das Gratin oben zu dunkel sein, bevor es innen gar ist.

Für Aufläufe nimmt man hohe oder halbhohe Formen: Der »Teig« backt im Ofen ähnlich wie ein Kuchen. Je nach Zutaten steigt er mehr oder weniger nach oben. Füllen Sie die Form also höchstens bis drei Finger unterhalb des Randes.

Für Soufflés brauchen Sie die größte Form: Klassisch ist sie rund; oval oder eckig geht ebenso. Wegen der vielen Eier geht ein Soufflé hoch auf, und die Form darf höchstens bis zu Dreiviertel ihrer Höhe gefüllt werden. Dann steigt der Teig über den Rand der Form und bildet die dekorative, typische »Haube«.

Die Form fetten...

ist nur bei Auflauf und Soufflé nötig. Trotzdem bleibt immer etwas in der Form haften. Gratins enthalten durch Sahne, Eier und/oder Käse gewöhnlich so viel Fett, dass Sie für die Form keines mehr brauchen. Beim Soufflé dürfen Sie die Form nur am Boden und unteren Rand fetten. Wenn das Fett bis oben reicht, rutscht der Teig beim Backen ab, und das Soufflé geht nicht hoch genug auf.

Wie lange dauert es?

Aufläufe und Soufflés, Gratins für viele sind keine Schnellgerichte – das sehen Sie an den Zubereitungszeiten der Rezepte. Doch während das Gericht im Ofen steht, brauchen Sie sich nicht mehr darum zu kümmern; beim Soufflé dürfen Sie es nicht einmal, denn beim kleinsten Öffnen der Backofentüre fällt das Kunstwerk zusammen. Sie können also bei allen Rezepten etwa 30 Minuten Arbeitszeit abziehen, die Ihnen zum Vorbereiten von Beilagen bleibt, zum Tischdecken oder einfach zum Entspannen.

TIP

Für Soufflés und Aufläufe mit Eischnee brauchen Sie ganz frische Eier, deren Eiweiß noch zäh ist und deshalb die eingeschlagene Luft besser hält.

Der richtige Käse

❶ Fetter Käse schmilzt gut: Raclette, Emmentaler, Greyerzer und Gouda nimmt man für Gratins.

❷ Reibkäse können Sie mit der Auflaufmasse mischen oder zum Überbacken nehmen.

❸ Edelpilzkäse gibt Kruste und Aroma: Der fette Käseteig zerläuft, der Schimmel würzt.

Normalerweise können Sie die Aufläufe in den kalten Backofen schieben. Nur bei Garzeiten unter 20 Minuten und beim Überkrusten sollten Sie vorheizen.

Die Klassiker

Gemüsebraten

Für 4 Portionen

2 Weizenbrötchen (ca. 90 g)
500 g Porree, Staudensellerie, Brokkoli, Blumenkohl und Karotten gemischt
100 g Austernpilze
2 Zwiebeln
1 Knoblauchzehe
2 EL Pflanzenöl
1/2 unbehandelte Zitrone
2 EL Gemüsebrühe
1/2 Packung tiefgefrorene Erbsen (150 g)
200 g Gouda
2 Tomaten, 2 Eier
Salz, frisch gemahlener Pfeffer
geriebene Muskatnuss

Zubereitungszeit 85 Minuten

❶ Die Brötchen in Wasser einweichen. Das Gemüse waschen und putzen, Porree in feine Ringe, Staudensellerie in fingerbreite Stücke, Brokkoli und Blumenkohl in kleine Röschen schneiden. Die Stiele von Brokkoli und Blumenkohl und die geschälten Karotten klein würfeln. Die Hüte der Austernpilze grob hacken, die Zwiebeln und den Knoblauch abziehen und fein zerkleinern.

❷ Öl in einer großen Pfanne erhitzen. Das Gemüse mit Zwiebeln und Knoblauch portionsweise bei starker bis mittlerer Hitze unter Rühren jeweils 3 Minuten kräftig anbraten. In eine große Schüssel geben.

❸ Zitronenschale abreiben. Saft auspressen mit der Brühe und den Erbsen kräftig aufkochen. Brühe zum Gemüse geben und alles lauwarm abkühlen lassen.

❹ Inzwischen die Brötchen ausdrücken, fein zerpflücken und zum Gemüse geben. Käse reiben, Tomaten abziehen und in Scheiben schneiden.

❺ Die Eier, die Hälfte der Käsemenge, Zitronenschale, Salz, Pfeffer und Muskatnuss zum Gemüse geben und alles vermischen. Die Masse in eine Gratinform geben, mit den Tomaten belegen und mit dem restlichen Käse bestreuen.

❻ Den Braten in den kalten Backofen (mittlere Schiene) stellen und bei 200 °C (Umluft 180 °C, Gas Stufe 3) etwa 40 Minuten backen.

► **Pro Portion**
1874/448 kJ/kcal • 26 g Eiweiß
23 g Fett • 29 g Kohlenhydrate
10 g Ballaststoffe • 153 mg Cholesterin

Wer Fleisch isst, deckt seinen Vitamin-A-Bedarf vorwiegend damit. Vegetarier dagegen brauchen andere Quellen: Zum Beispiel Tomaten, Brokkoli, Karotten, Porree oder Erbsen. Diese Gemüse enthalten Beta-Karotin, das der Körper bei Bedarf in Vitamin A umwandelt.

Kartoffelauflauf mit Karotten und Sauerkraut

Im Auflauf sind Karotten weit effektivere Karotinspender als in der Rohkost: Das Vitamin in der Zelle ist so von einem »Panzer« umschlossen, dass nur Garen es für uns verfügbar macht.

Für 4 Portionen

- 750 g kleine Kartoffeln
- 3 Eier, 3 Karotten
- 500 g Sauerkraut, 100 g Gouda
- Salz, frisch gemahlener Pfeffer
- 1/8 l Milch, 150 g saure Sahne
- Fett für die Form

Zubereitungszeit 70 Minuten

❶ Kartoffeln mit der Schale in wenig Wasser weich kochen. Kalt abschrecken, schälen und in Scheiben schneiden. Eier hart kochen, pellen und in Scheiben schneiden. Karotten schälen und hobeln. Sauerkaut fein zerkleinern, Käse reiben.

❷ Nacheinander Kartoffel- und Eierscheiben, Sauerkraut und Karotten in eine gefettete ofenfeste Form legen. Jede Lage mit etwas Salz, Pfeffer und Käse bestreuen. Milch und saure Sahne verquirlen und über den Auflauf gießen. In den kalten Backofen (mittlere Schiene) stellen und bei 200 °C (Umluft 180 °C, Gas Stufe 3) etwa 45 Minuten backen.

► **Pro Portion**

1889/452 kJ/kcal • 21 g Eiweiß
20 g Fett • 41 g Kohlenhydrate
9 g Ballaststoffe • 214 mg Cholesterin

Kürbis-Gemüse-Gratin

Für 3 Portionen

- 1 Fenchelknolle
- 1 mittelgroße Stange Porree
- 1 Knoblauchzehe
- 2 EL Öl
- 1 Stück gelber Kürbis (ca. 600 g)
- 1 EL Zitronensaft
- 1 Stück frischer Ingwer (ca. 2 cm lang)
- Salz
- frisch gemahlener Pfeffer
- geriebene Muskatnuss
- 200 ml Milch
- 3 EL Crème fraîche
- 40 g Greyerzer

Zubereitungszeit 80 Minuten

❶ Fenchel und Porree putzen, waschen und mittelfein zerkleinern. Knoblauch hacken. Alle drei Zutaten im heißen Öl bei mittlerer bis schwacher Hitze etwa 5 Minuten dünsten.

❷ Den Kürbis in Spalten schneiden, schälen, die Kerne mit den zähen Fasern entfernen. Die Spalten in kleine Stücke schneiden, in eine

Gratinform geben und mit dem Zitronensaft beträufeln. Den Ingwer schälen und auf einer feinen Reibe über den Kürbis reiben. Das gedünstete Gemüse darauf verteilen, mit Salz, Pfeffer und einer Prise Muskat nach Geschmack würzen.

❸ Milch zugießen, Crème fraîche in Klecksen auf das Gratin setzen und alles mit dem grob geriebenen Käse bestreuen.

❹ Das Gratin in den kalten Backofen (mittlere Schiene) schieben und bei 170 °C (Umluft 150 °C, Gas Stufe 1–2) 30–35 Minuten backen.
Dazu passen: Bratkartoffeln und gemischter Salat.

► **Pro Portion**
1169/280 kJ/kcal • 11 g Eiweiß
18 g Fett • 15 g Kohlenhydrate
4 g Ballaststoffe
27 mg Cholesterin

Einfacher Nudelauflauf

Für 4 Portionen
200 g breite Nudeln
1 EL Öl, 2 Knoblauchzehen
1 Dose Ratatouille o. Pizzatomaten
1 TL getrockneter Oregano
Salz, frisch gemahlener Pfeffer
200 g würziger Bergkäse

Nehmen Sie Vollkornnudeln, wenn Sie mehr Ballaststoffe essen wollen: Im Durchschnitt enthalten sie etwa zweimal so viele wie weiße Nudeln.

Zubereitungszeit 45 Minuten

❶ Nudeln im Salzwasser garen. Abgießen und mit dem Öl mischen.

❷ Knoblauchzehen zerdrücken, mit Ratatouille oder Pizzatomaten, Oregano, Salz und Pfeffer mischen. Den Käse grob raspeln.

❸ Schichtweise Nudeln, Ratatouille und Käse in eine hohe Auflaufform geben, mit Käse abschließen.

❹ Den Auflauf in den kalten Backofen (mittlere Schiene) stellen und bei 200 °C (Umluft 180 °C, Gas Stufe 3) etwa 30 Minuten backen.

► **Pro Portion**
2098/663 kJ/kcal • 21 g Eiweiß
26 g Fett • 39 g Kohlenhydrate
4 g Ballaststoffe
82 mg Cholesterin

TIP

Ratatouille in Glas oder Dose bekommen Sie in Naturkostläden, Pizzatomaten auch im Supermarkt.

Kartoffelrollen mit Kohlrabi

Kartoffelrollen, ein altes bayerisches Bauernessen, wurden ursprünglich mit Sauerkraut und Speck zubereitet. Die moderne Version mit Kohlrabi, Tomaten, Kräutern und Olivenöl ist leichter und viel gesünder.

Für 4 Portionen

800 g Kartoffeln (mehlige Sorte)
500 g junge Kohlrabi
1 Zwiebel
1 große Tomate
3 EL Olivenöl
1 EL getrockneter Oregano
Salz, frisch gemahlener Pfeffer
100 g Mehl
1 Ei
Mehl zum Ausrollen
100 g Crème fraîche
1 Päckchen tiefgefrorene italienische Kräuter
Fett für die Form

Zubereitungszeit 105 Minuten

❶ Die Kartoffeln waschen und ungeschält weich kochen. Abgießen, kalt abschrecken, pellen und mit dem Kartoffelstampfer oder einer Gabel ganz fein zerdrücken. Püree abkühlen lassen.

❷ Kohlrabi schälen und grob raspeln. Zwiebel würfeln, Tomate abziehen und würfeln. Einen Esslöffel Öl erhitzen. Kohlrabi, Zwiebel und Oregano darin bei mittlerer Hitze etwa 4 Minuten schmoren, bis die Zwiebel weich ist. Mit den Tomatenwürfeln mischen, mit Salz und Pfeffer kräftig würzen.

Am besten schmecken die Rollen heiß und ganz frisch aus dem Ofen.

❸ Die Kartoffeln mit einer Prise Salz, dem Mehl und dem Ei verkneten. Falls der Teig an den Händen klebt, teelöffelweise Mehl untermischen.

❹ Ein Küchentuch mit Mehl bestreuen. Den Teig in vier Stücke teilen. Jedes Stück auf dem Tuch messerrückendick zu einem Rechteck von etwa 10 mal 20 Zentimeter ausrollen. Die Rechtecke mit etwas Öl und Crème fraîche bestreichen, mit Kräutern bestreuen und mit der Kohlrabifüllung belegen.

❺ Die Stücke mit Hilfe des Tuchs aufrollen und mit einem scharfen Messer in etwa fünf Zentimeter dicke Scheiben schneiden. Die Scheiben so in eine gefettete Gratinform mit niedrigem Rand setzen, dass die Füllung nach oben zeigt. Den Rest von Öl und Crème fraîche darüber geben.

❻ Kartoffelrollen in den kalten Backofen (mittlere Schiene) schieben und bei 200 °C (Umluft 180 °C, Gas Stufe 3) etwa 45 Minuten backen, bis sie oben schön gebräunt sind.

► **Pro Portion**
2107/504 kJ/kcal • 13 g Eiweiß
21 g Fett • 60 g Kohlenhydrate
11 g Ballaststoffe • 68 mg Cholesterin

Brokkoligratin mit Nüssen

Für 4 Portionen

- 500 g Brokkoli
- 1 Bund Lauchzwiebeln
- 1/8 l Gemüsebrühe
- 2–3 Knoblauchzehen
- 125 g Sahne
- 1 EL Maiskeim- oder Erdnussöl
- Salz, frisch gemahlener Pfeffer
- 50 g Haselnusskerne
- 200 g körniger Frischkäse
- 50 g Emmentaler

Sparen Sie nicht mit Knoblauch, denn er ist vielleicht das gesündeste Gewürz überhaupt. Knoblauch schützt Herz und Gefäße, regt die Verdauung an, hält die Darmflora gesund und kann hartnäckige Pilzinfektionen heilen.

Zubereitungszeit 70 Minuten

❶ Brokkoli und Lauchzwiebeln waschen und putzen. Brokkoli in Röschen, Lauchzwiebeln in etwa fingerlange Stücke schneiden.

❷ Gemüsebrühe aufkochen, Brokkoli und Lauchzwiebeln darin etwa 3 Minuten sprudelnd kochen. Mit einem Schaumlöffel aus der Brühe nehmen und in eine Gratinform legen.

❸ Etwas abgekühlte Brühe mit zerdrücktem Knoblauch, Sahne und Öl mischen, mit Salz und Pfeffer würzen und über das Gemüse geben. Zuerst die gehackten Nüsse, dann den Frischkäse darüber verteilen. Mit dem geriebenen Emmentaler bestreuen.

❹ Das Gratin in den kalten Backofen schieben und bei 200 °C (Umluft 180 °C, Gas Stufe 3) etwa 35 Minuten backen. Dazu passen: Pellkartoffeln oder Brot.

► **Pro Portion**

1652/395 kJ/kcal • 17 g Eiweiß
31 g Fett • 10 g Kohlenhydrate
6 g Ballaststoffe • 64 mg Cholesterin

Gefüllte Tomaten

Für 3 Portionen

- 250 g Buchweizen
- 1 EL Öl
- 1/2 l Gemüsebrühe
- 6 Fleischtomaten
- 2 Bund Schnittlauch
- 200 g Crème fraîche
- Kräutersalz
- frisch gemahlener Pfeffer
- 100 g Greyerzer oder Emmentaler

Zubereitungszeit 80 Minuten

❶ Buchweizen im heißen Öl anrösten. Die Brühe unter Rühren zugeben und unter weiterem Rühren einmal aufkochen. Buchweizen zugedeckt bei schwächster Hitze 25 Minuten garen.

❷ Die gewaschenen Tomaten quer halbieren. Das Fruchtfleisch mit einem Teelöffel herausholen, fein zerkleinern und zum Buchweizen geben. Fein zerkleinerten Schnittlauch und Crème fraîche zufügen und alles mischen. Mit Kräutersalz und Pfeffer würzen.

❸ Tomatenhälften innen salzen und pfeffern. Mit dem Buchweizen füllen und in eine flache Gratinform setzen. Den Käse reiben und darüber streuen.

❹ Die gefüllten Tomaten in den kalten Backofen (mittlere Schiene) schieben und bei 200 °C (Umluft 180 °C, Gas Stufe 3) etwa 35 Minuten backen.

► **Pro Portion**

3205/767 kJ/kcal • 22 g Eiweiß
37 g Fett • 75 g Kohlenhydrate
10 g Ballaststoffe
56 mg Cholesterin

TIP

Die Buchweizenfüllung schmeckt auch in Auberginen, Zucchini und Zwiebeln. Statt des ausgehöhlten Tomatenfleisches nimmt man ein paar Esslöffel Pizzatomaten aus der Dose.

Reisauflauf

Für 3 Portionen

- 150 g Rundkornreis
- 300 ml Wasser
- 1 Stange Porree
- 1 Zweig frischer oder
- 1 TL getrockneter Salbei
- 1 EL Öl
- 2 EL Zitronensaft
- Salz
- frisch gemahlener Pfeffer
- 2 Eier
- 2 EL Tomatenmark
- 200 g Gratinkäse

Zubereitungszeit 60 Minuten

❶ Den Reis mit Wasser aufkochen und zugedeckt bei schwächster Hitze 20 Minuten garen.

❷ Porree putzen, waschen und in feine Ringe, frische Salbeiblättchen in Streifen schneiden. Beide Zutaten im heißen Öl bei schwacher Hitze braten, bis die Porreeringe glasig sind. Mit Zitronensaft, Salz und Pfeffer würzen.

❸ Eier mit Tomatenmark verrühren, mit Reis und Porree mischen und in eine halbhohe Auflaufform füllen. Mit dem Käse bestreuen.

❹ Den Auflauf in den kalten Backofen (mittlere Schiene) stellen und bei 200 °C (Umluft 180 °C, Gas Stufe 3) etwa 30 Minuten backen, bis der Käse zerlaufen und leicht gebräunt ist.

► Pro Portion

2210/529 kJ/kcal • 25 g Eiweiß
15 g Fett • 43 g Kohlenhydrate
2 g Ballaststoffe • 206 mg Cholesterin

TIP

Fertig geriebenen Gratinkäse gibt es im Supermarkt zu kaufen. Er besteht aus dänischem Emmentaler und Mozzarella.

Dieses Reisgericht mit Gemüse ist die pikante Alternative zu den üblichen süßen Reisaufläufen.

Gebackene Käsebrote

Für 4 Portionen

- 200 g Emmentaler
- 1 Knoblauchzehe
- 50 g weiche Butter
- 1 TL getrockneter Majoran
- 4 dicke Scheiben Weißbrot

Zubereitungszeit 30 Minuten

❶ Den Backofen auf 220 °C (Umluft 200 °C, Gas Stufe 4) vorheizen. Käse fein reiben, Knoblauch zerdrücken und mit Fett und Majoran mischen.

❷ Die Brote damit bestreichen und nebeneinander auf ein Backblech legen. In den heißen Backofen (mittlere Schiene) schieben und etwa 15 Minuten backen, bis sie leicht gebräunt sind.

► Pro Portion

2111/505 kJ/kcal • 18 g Eiweiß
31 g Fett • 32 g Kohlenhydrate
3 g Ballaststoffe • 76 mg Cholesterin

TIP

Pfannkuchen auf der Unterseite bei mittlerer Hitze zugedeckt backen. Dann lassen sie sich leicht ablösen, und man braucht nicht so viel Fett. Auf der zweiten Seite backt man die Kuchen ohne Deckel, damit sie knusprig werden.

Pfannkuchentorte aus dem Ofen

Für 4 Portionen

100 g Mehl, Salz
1/4 l Wasser
2 Eier, 2 EL Öl
2 große Stangen Porree
3 EL Butter oder Margarine
1/2 TL getrockneter Majoran
3 EL Gemüsebrühe
100 g Emmentaler oder Bergkäse
Salz, Cayennepfeffer

Zubereitungszeit 90 Minuten

❶ Mehl mit Salz und Wasser glattrühren. Eier untermischen. Aus dem Teig im heißen Öl acht Pfannkuchen backen.

❷ Porree putzen, waschen und in feine Ringe schneiden. 1 Esslöffel Fett in einer Pfanne schmelzen. Porree und Majoran darin bei mittlerer Hitze andünsten. Brühe zugeben und alles bei schwacher Hitze etwa 10 Minuten garen, bis der Porree weich ist. Käse reiben.

❸ Das restliche Fett in eine ofenfeste Form geben und in den Backofen schieben. Ofen auf 220 °C (Umluft 200 °C, Gas Stufe 4) schalten und das Fett schmelzen.

❹ Pfannkuchen, Porree und etwa zwei Drittel der Käsemenge schichtweise in die Form legen. Porree dabei mit Salz und Cayennepfeffer würzen. Den restlichen Käse auf die Torte streuen.

❺ Die Form wieder in den heißen Backofen (mittlere Schiene) schieben und die Pfannkuchentorte etwa 30 Minuten backen, bis sie schön gebräunt ist.

► **Pro Portion**

1614/386 kJ/kcal
15 g Eiweiß
26 g Fett • 19 g Kohlenhydrate
4 g Ballaststoffe
170 mg Cholesterin

Grünkohl-Pfannkuchen

Für 4 Portionen

- 200 g Mehl, Salz
- 1/2 l Wasser, 4 Eier
- Öl zum Backen
- 2 kg Grünkohl, 1 große Zwiebel
- 1 EL Butterschmalz oder Öl
- 100 g Crème fraîche
- geriebene Muskatnuss
- frisch gemahlener Pfeffer
- 100 g Emmentaler in dünnen Scheiben

Zubereitungszeit 80 Minuten

❶ Mehl mit Salz und Wasser verrühren. Eier nacheinander darunter mischen. Im heißen Öl zwölf Pfannkuchen backen.

❷ Grünkohlblätter von den Stielen streifen, waschen und im Blitzhacker fein zerkleinern. Die Zwiebel würfeln. Beide Zutaten im heißen Fett bei mittlerer Hitze unter Rühren etwa 5 Minuten schmoren. Mit Crème fraîche mischen, mit Salz, Muskatnuss und Pfeffer würzen.

❸ Den Backofen auf 220 °C (Umluft 200 °C, Gas Stufe 4) vorheizen. Die Pfannkuchen mit dem Grünkohl bestreichen, zusammenrollen, nebeneinander in eine flache Gratinform geben und mit dem Käse belegen. Im heißen Backofen (mittlere Schiene) etwa 20 Minuten backen.

▶ **Pro Portion**
2956/707 kJ/kcal • 43 g Eiweiß
37 g Fett • 43 g Kohlenhydrate
27 g Ballaststoffe • 270 mg Cholesterin

Nitrathaltige Blattgemüse wie Grünkohl und Spinat werden am besten zuerst blanchiert. Durch das Abgießen des Kochwassers reduziert sich der Nitratgehalt.

Schwäbischer Pfitzauf

Für 4 Portionen

- 100 g Butter oder Margarine
- 250 g Mehl, Salz
- 1/2 l Milch, 4 Eier

Zubereitungszeit 50 Minuten

❶ Backofen auf 220 °C (Umluft 200 °C, Gas Stufe 4) vorheizen. Fett in Stücke teilen, in die Fettpfanne des Backofens geben, in den Ofen schieben und schmelzen lassen.

❷ Mehl mit Salz und Milch glattrühren. Eier nacheinander untermischen. Teig in die Fettpfanne gießen, in den Backofen (mittlere Schiene) schieben und etwa 40 Minuten backen, bis der Pfitzauf aufgegangen und goldbraun ist.

▶ **Pro Portion**
2458/588 kJ/kcal • 19 g Eiweiß
33 g Fett • 47 g Kohlenhydrate
6 g Ballaststoffe • 315 mg Cholesterin

TIP

Sie können den Pfitzauf selbstverständlich mit Vollkornmehl zubereiten. Mir schmeckt er mit weißem Mehl besser, und für die nötigen Vitamine, Mineralstoffe und Ballaststoffe sorgen verschiedene Rohkostsalate als Beilage.

Gemüsegratin mit Kräutersauce

Karotten, Sellerie und Brokkoli gehören zu den Gemüsesorten, die besonders viele gesunde Stoffe enthalten: Karotinoide in Karotten stärken das Immunsystem, ätherische Öle in Sellerie regen den Stoffwechsel an und die Flavonoide in Brokkoli schützen vor Krebs.

Für 4 Portionen

1,5 kg gemischtes Gemüse: Brokkoli, Zucchini, Fenchelknollen, Staudensellerie, Lauchzwiebeln und Karotten
Salz
frisch gemahlener weißer Pfeffer, eventuell scharfes Paprikapulver
geriebene Muskatnuss
1 Packung Kräutercremesauce oder fertige Sauce Béarnaise (200 g)
1 Bund Petersilie
1 Knoblauchzehe
50 g Raclettekäse, Emmentaler oder mittelalter Gouda

Zubereitungszeit 90 Minuten

❶ Gemüse waschen und zerkleinern: Brokkoliröschen abschneiden, Stiele schälen und in Stifte schneiden. Zucchini und Fenchelknollen der Länge nach vierteln. Die grünen Blättchen von Fenchel und Staudensellerie zum Bestreuen beiseite legen. Von den Lauchzwiebeln äußere Blätter und Wurzelansätze abschneiden. Karotten schälen und längs in Stifte schneiden.

❷ Das Gemüse möglichst nebeneinander in eine flache Gratinform legen und mit Salz, einer kräftigen Prise Pfeffer, Paprikapulver und Muskat würzen.

Die bunte Gemüsevielfalt schmeckt so richtig nach Sommer.

❸ Sauce nach Packungsaufschrift zubereiten, mit fein gehackter Petersilie und zerdrücktem Knoblauch mischen und über das Gemüse verteilen. Käse reiben und darüber streuen.

❹ Das Gratin in den kalten Backofen (mittlere Schiene) schieben und bei 200 °C (Umluft 180 °C, Gas Stufe 3) etwa 35 Minuten backen. Mit den zerkleinerten Gemüseblättchen bestreut servieren.
Dazu passt: Brot, Reis oder Kartoffeln und Salat.

▶ Pro Portion

1606/384 kJ/kcal • 12 g Eiweiß
26 g Fett • 22 g Kohlenhydrate
9 g Ballaststoffe • 249 mg Cholesterin

TIP

Fertigprodukte haben in der modernen, gesunden Küche durchaus ihren Platz: Kräutercremesauce im Beutel aus dem Naturkostladen enthält kein tierisches Eiweiß. Fertige Sauce Béarnaise aus dem Supermarkt ist besonders schnell gerührt. Diese Sauce können Sie auch als Variante zu Sahne oder Eiermilch im Kartoffelgratin nehmen oder zum Überbacken von Pilzen, Reis und Nudeln verwenden.

Vegetarischer Zwiebelkuchen

Für 12 Portionen oder 20 Stücke

Teig:
- 300 g Weizenvollkornmehl
- 1/2 Päckchen Trockenhefe
- 1/2 EL Salz
- 200 ml Wasser
- 2 EL Olivenöl

Belag:
- 2 kg Zwiebeln
- 5 EL Erdnussöl
- 1 Päckchen Tomaten- oder Knoblauchcremesuppe
- 500 g saure Sahne
- 1–2 EL Kümmelkörner
- Salz, Cayennepfeffer
- 1/2 TL scharfes Paprikapulver
- Fett für das Blech

Tütensuppen ohne Geschmacksverstärker bekommen Sie in Naturkostläden. Beim Sahneguss für Quiche und herzhaften Kuchen sorgen sie für Bindung ohne Eier und/oder Käse.

Zubereitungszeit 120 Minuten

❶ Mehl, Hefe und Salz in einer Schüssel mischen. Lauwarmes Wasser und Öl zugießen. Alles mit den Knethaken des Handrührgerätes etwa 5 Minuten durchrühren, bis der Teig Blasen bildet. Zugedeckt bei Zimmertemperatur etwa 1 Stunde ruhen lassen, bis sich das Teigvolumen verdoppelt hat.

❷ Inzwischen für den Belag die Zwiebeln schälen und auf dem Gurkenhobel in Ringe hobeln. Portionsweise im Erdnussöl bei schwacher Hitze weich schmoren.

❸ Das Suppenpulver mit der sauren Sahne glattrühren. Mit den lauwarm abgekühlten Zwiebeln, Kümmel, Salz, Cayennepfeffer und Paprika mischen.

❹ Den Teig auf ein gefettetes Backblech streichen und den Belag darauf verteilen. Den Zwiebelkuchen zugedeckt bei Zimmertemperatur 10 Minuten gehen lassen.

❺ Den Kuchen in den kalten Backofen (mittlere Schiene) schieben und bei 180 °C (Umluft 160 °C, Gas Stufe 2) etwa 40 Minuten backen.

► **Pro Portion**
1056/253 kJ/kcal • 7 g Eiweiß
12 g Fett • 27 g Kohlenhydrate
8 g Ballaststoffe
16 mg Cholesterin

Gratinierte Käsespätzle mit Spinat

Für 4 Portionen

- 1 kg Spinat
- 2 Zwiebeln
- 2 EL Öl
- Salz
- frisch gemahlener Pfeffer
- 1/2 TL gemahlener Kümmel
- 200 g Emmentaler
- 1 Packung frische Spätzle (aus der Kühltheke; 400 g)

Zubereitungszeit 60 Minuten

❶ Den frischen Spinat verlesen, mehrfach gründlich waschen und in reichlich kochendem Wasser 2 Minuten sprudelnd kochen. Abgießen, abtropfen lassen, mit den Händen ausdrücken und grob zerkleinern. Die Zwiebeln fein hacken.

❷ Den Backofen auf 220 °C (Umluft 200 °C, Gas Stufe 4) vorheizen. Öl in einer Pfanne erhitzen und Zwiebeln darin bei mittlerer Hitze weich schmoren. Unter den Spinat mischen, mit Salz, Pfeffer und Kümmel würzen. Käse grob raspeln oder in kleine Würfel schneiden.

❸ Spätzle nach Packungsaufschrift in reichlich Salzwasser garen. Abgießen, mit dem vorbereiteten Spinat mischen und in eine flache Gratinform geben. Käse darüber streuen.

❹ Das Gratin in den heißen Backofen (mittlere Schiene) schieben und etwa 20 Minuten backen, bis der Käse zerlaufen und schön gebräunt ist.

► Pro Portion

1651/395 kJ/kcal • 26 g Eiweiß
23 g Fett • 16 g Kohlenhydrate
7 g Ballaststoffe • 85 mg Cholesterin

TIP

Statt Spätzle schmecken frische Gnocchi, Schupfnudeln oder beliebige gefüllte Nudeln aus der Kühltheke.

Spinat ist ein Gemüse mit viel Oxalsäure: Diese bindet die Mineralstoffe Kalzium und Eisen, so dass wir einen Teil davon überhaupt nicht nutzen können. Da hilft Blanchieren: Das sprudelnde Kochen in viel Wasser verringert die Menge an Oxalsäure; Eisen im Spinat und Kalzium im Käse sind dann viel besser verfügbar.

Gebackener Sellerie mit Grünkern

Wissenschaftler schätzen, dass die Ernährung mindestens zu 35 Prozent am Krebsrisiko beteiligt ist. Eine tägliche Kost mit viel Gemüse, Obst, Kartoffeln und Vollkornprodukten, aber wenig tierischem Fett und Eiweiß kann dieses Risiko entscheidend senken. Denn die Wirk- und Ballaststoffe in diesen Lebensmitteln entschärfen Krebs erregende Substanzen bereits bei der Verdauung.

Für 3 Portionen

- 100 g Grünkern
- 200 ml Wasser
- 2 mittelgroße Sellerieknollen
- Saft von 1 Zitrone
- Fett für die Form
- 2 Tomaten
- 1 Zwiebel
- 1 Knoblauchzehe
- 2 EL Olivenöl
- 1 EL Crème fraîche
- Salz
- frisch gemahlener Pfeffer
- 100 g Gouda
- 1 Bund Schnittlauch

Zubereitungszeit 90 Minuten

❶ Grünkern mit Wasser aufkochen und zugedeckt bei schwacher Hitze 45 Minuten garen. Grünkern von der Kochstelle nehmen und abkühlen lassen.

❷ Sellerieknollen schälen und in etwa 5 Zentimeter dicke Scheiben schneiden. Reichlich Wasser mit dem Zitronensaft aufkochen.

❸ Selleriescheiben im Zitronenwasser bei starker bis mittlerer Hitze etwa 5 Minuten kochen. Mit einem Schaumlöffel herausnehmen und auf der Arbeitsfläche etwas abkühlen lassen. Die Selleriescheiben mit einem spitzen Messer auf der Oberseite so aushöhlen, dass kleine Schälchen entstehen. In eine gefettete flache Gratinform legen.

❹ Tomaten abziehen und würfeln. Das ausgehöhlte Selleriefleisch, Zwiebel und Knoblauch hacken und im heißen Öl dünsten, bis die Zwiebel glasig ist. Crème fraîche, Tomatenwürfeln und Grünkern zugeben. Alles unter Rühren bei starker Hitze schmoren, bis die Flüssigkeit, die sich bildet, fast vollständig eingekocht ist.

❺ Die Mischung mit Salz und Pfeffer würzen und in die Sellerieschalen füllen. Den Käse reiben und darüber streuen. Die Form in den kalten Backofen (mittlere Schiene) stellen und den Sellerie bei 200 °C (Umluft 180 °C, Gas Stufe 3) etwa 20 Minuten überbacken, bis der Käse zerlaufen und leicht gebräunt ist.

❻ Den Schnittlauch waschen, trockentupfen, in feine Röllchen schneiden und über den Sellerie streuen.
Dazu passen: Tomatensauce und gemischter Salat.

Hier kommt der Sellerie endlich einmal auch optisch so richtig zur Geltung.

► Pro Portion
1619/387 kJ/kcal • 17 g Eiweiß
18 g Fett • 33 g Kohlenhydrate
14 g Ballaststoffe • 22 mg Cholesterin

Gefüllte Kartoffeln

Für 4 Portionen
- 2 große Kartoffeln (mehlige Sorte)
- 2 kleine Zucchini
- 1 Bund Grüne-Sauce-Kräuter
- 1 Knoblauchzehe
- 75 g saure Sahne
- Salz, frisch gemahlener Pfeffer
- geriebene Muskatnuss
- 4 Scheiben Schmelzkäse

Zubereitungszeit 90 Minuten

❶ Die Kartoffeln unter fließendem Wasser bürsten, einige Male mit einer Gabel einstechen und auf den Backrost legen. In den kalten Backofen schieben und bei 220 °C (Umluft 200 °C, Gas Stufe 4) in etwa 60 Minuten gerade eben weich backen. Herausnehmen und 15 Minuten abkühlen lassen.

Schmelzkäse ist oft sehr salzig. Deshalb bei der Füllung mit Salz sparen. Eine ebenso würzige Alternative zum phosphatreichen Schmelzkäse ist Roquefort oder Gorgonzola.

❷ Zucchini waschen und fein raspeln, Kräuter waschen und zerkleinern. Den Knoblauch abziehen und zerdrücken. Die Kartoffeln der Länge nach halbieren. Den größten Teil des Fruchtfleisches mit einem Löffel herausnehmen, so dass Schälchen entstehen.

❸ Das Kartoffelfleisch mit einer Gabel ganz fein zerdrücken, mit Zucchini, Kräutern, Knoblauch und saurer Sahne vermischen, mit wenig Salz und je einer kräftigen Prise Pfeffer und Muskat würzen.

❹ Die Kartoffelschalen mit dem Püree füllen, auf ein Backblech setzen und mit den Käsescheiben belegen. Im heißen Ofen etwa 15 Minuten überbacken.

► **Pro Portion**
742/178 kJ/kcal • 7 g Eiweiß
7 g Fett • 20 g Kohlenhydrate
3 g Ballaststoffe • 17 mg Cholesterin

Gemüsepie

Für 6 Portionen

Teig:
- 300 g Weizenvollkornmehl
- 1 TL Backpulver, Salz
- 5 EL Erdnussöl
- 80–100 ml kaltes Wasser

Füllung:
- 400 g Rosenkohl
- 100 g Austernpilze, 2 Zwiebeln
- 1 Bund Petersilie
- 1/2 unbehandelte Zitrone, 2 EL Öl
- 1 Packung tiefgefrorene grüne Bohnen (300 g)
- 1/8 l Gemüsebrühe
- Salz, Cayennepfeffer
- Mehl für die Arbeitsfläche
- 2 EL Sahne

Zubereitungszeit 120 Minuten

❶ Mehl mit Backpulver und Salz mischen. Öl und 80 Milliliter Wasser unterrühren und durchkneten, bis der Teig glatt und geschmeidig ist. Dabei nach Bedarf teelöffelweise das restliche Wasser unterkneten. Den Teig zugedeckt bei Zimmertemperatur etwa 60 Minuten ruhen lassen.

❷ Inzwischen für die Füllung den Rosenkohl putzen, waschen und die Stielenden kreuzweise einschneiden. Pilzhüte in Streifen schneiden. Zwiebeln und Petersilie fein hacken. Zitronenschale dünn abschneiden und fein zerkleinern. Saft der Zitrone auspressen.

❸ Öl in einer großen Pfanne erhitzen. Pilze und Zwiebeln darin bei starker bis mittlerer Hitze unter Rühren kräftig rösten und wieder herausnehmen.

❹ Rosenkohl und Bohnen zugeben und bei starker Hitze unter Rühren anbraten. Die Brühe zugießen, mit Salz und Cayennepfeffer würzen, einmal aufkochen und zugedeckt bei schwacher Hitze 10 Minuten garen. Abgießen, abtropfen und abkühlen lassen.

❺ Pilze mit Zwiebeln, Zitronenschale und Saft mischen und alles in eine rechteckige Gratinform geben.

❻ Den Teig auf Mehl etwas größer als die Form ausrollen und in der Mitte sternförmig einschneiden. Die Teigplatte als Deckel so auf die Form legen, dass er rundherum an den Rändern etwas überlappt. Den Teigdeckel mit Sahne bestreichen.

❼ Die Pie im Backofen (untere Schiene) bei 200 °C (Umluft 180 °C, Gas Stufe 3) etwa 45 Minuten backen, dabei die ersten 10 Minuten mit Alufolie abdecken.

► **Pro Portion**

1455/348 kJ/kcal • 11 g Eiweiß
15 g Fett • 39 g Kohlenhydrate
11 g Ballaststoffe • 4 mg Cholesterin

TIP

Den Teigdeckel mit einem scharfen Messer von der Mitte aus sternförmig einschneiden. Durch die Schnitte entweicht genügend Feuchtigkeit, und die Kruste wird knusprig.

Fleischlose Pies sind gut für die Gesundheit. Sie haben wenig Fett, aber viele Ballaststoffe durch die enthaltenen Gemüse. Und Ballaststoffe sind der wirksamste Schutz gegen Dickdarmkrebs.

Spargelauflauf

Grüne-Sauce-Kräuter gibt es im Frühling als Bundware auf dem Markt zu kaufen. Traditionell sind es sieben vitaminreiche Kräuter: Schnittlauch, Borretsch, Pimpinelle, Kerbel, Estragon, Sauerampfer und Brunnenkresse.

Für 4 Portionen

1 kg Brechspargel
1/4 l Wasser
Salz
1 Prise Zucker
1 Zwiebel
75 g Butter oder Pflanzenmargarine
50 g Mehl
frisch gemahlener Pfeffer
200 g Sahne
1 Bund Grüne-Sauce-Kräuter
3 Eier
100 g Greyerzer oder Emmentaler
1 EL Semmelbrösel

Zubereitungszeit 90 Minuten

1. Spargel putzen, schälen und waschen. Wasser mit etwas Salz und Zucker aufkochen, Spargel darin 5 Minuten garen. Abgießen und abtropfen lassen, den Spargelsud für die Sauce auffangen.

2. Zwiebel abziehen, fein würfeln und im heißen Fett glasig braten. Mehl darüber stäuben und hell anrösten. Den Spargelsud zugießen und so lange rühren, bis die Sauce glatt ist. Mit Salz und Pfeffer würzen und zugedeckt bei schwacher Hitze 5 Minuten kochen lassen. Anschließend die Sahne untermischen und die Sauce lauwarm abkühlen lassen.

Unter einer leckeren Käsesauce verbirgt sich das köstliche Gemüse.

3. Kräuter fein hacken. Eier trennen, Eiweiß steif schlagen. Käse fein reiben.

4. Die Sauce mit Spargel, Eigelb und Kräutern mischen und den Eischnee darauf geben. Semmelbrösel und Käse auf den Eischnee streuen. Alles mischen und in eine hohe Auflaufform geben.

5. Den Auflauf in den kalten Backofen (mittlere Schiene) stellen und bei 200 °C (Umluft 180 °C, Gas Stufe 3) etwa 45 Minuten backen, bis er schön gebräunt ist.

► Pro Portion

2519/603 kJ/kcal • 22 g Eiweiß
45 g Fett • 21 g Kohlenhydrate
6 g Ballaststoffe • 307 mg Cholesterin

TIP

Schälen ist nur bei weißem Spargel nötig: Die Stange am Kopf fassen und mit dem unteren Ende auf Ihr Handgelenk legen – frischer Spargel braucht diese Stütze, damit er beim Schälen nicht bricht. Den Schäler etwas unterhalb des Spargelkopfes ansetzen und nach unten führen. Zum Schluss das Spargelende genau da abschneiden, wo Sie bei leichtem Druck keinen Widerstand mehr spüren; dann haben Sie den holzigen Teil erwischt.

Linsenauflauf mit Käse-Zwiebeln

Für 4 Portionen

- 300 g braune Linsen
- 3/4 l Wasser
- 1 EL Gemüsebrüheextrakt
- 1/2 unbehandelte Zitrone
- 1 Bund Petersilie
- 2 Eier
- 6 EL Milch
- Salz, Cayennepfeffer
- 1 TL getrockneter Majoran
- 75 g Knäckebrot
- 100 g Emmentaler
- 1 große Gemüsezwiebel

In Naturkostläden gibt es glutenfreie Brösel mit Mais, Reis, Hirse, Buchweizen und Hefe. Auch damit können Sie die Zwiebeln panieren.

Zubereitungszeit 90 Minuten

❶ Linsen mit dem Wasser und der Brühe aufkochen und zugedeckt bei schwacher Hitze in etwa 60 Minuten weich garen. Mit abgeriebener Zitronenschale, ausgepresstem Saft und der fein gehackten Petersilie mischen und in eine flache Gratinform geben.

❷ Eier in einem tiefen Teller mit der Milch verquirlen, mit Salz, Cayennepfeffer und Majoran würzen. Knäckebrot in einen Gefrierbeutel geben und mit der Nudelrolle fein zerkleinern. Käse reiben, Zwiebel abziehen und in dünne Scheiben schneiden.

❸ Zwiebelringe in die Eier tauchen, im Knäckebrot wenden und auf die Linsen legen. Den Käse darüber streuen.

❹ Den Auflauf in den kalten Backofen (mittlere Schiene) stellen und bei 180 °C (Umluft 160 °C, Gas Stufe 2) etwa 25 Minuten backen, bis er oben gebräunt ist. Dazu passen: Kartoffeln und Salat.

► Pro Portion

2072/496 kJ/kcal • 32 g Eiweiß
13 g Fett • 54 g Kohlenhydrate
14 g Ballaststoffe • 146 mg Cholesterin

Geschichtete Wirsing-Pfannkuchen

Für 3 Portionen

- 1 kleiner Kopf Wirsing (ca. 500 g)
- 1 Zwiebel
- 1 Bund Petersilie
- 2 EL Olivenöl
- 70 g Sahne
- 1/2 EL Kümmelkörner
- Salz
- frisch gemahlener Pfeffer
- 50 g Mehl
- 1/8 l Milch
- 2 Eier
- Öl zum Backen
- 125 g Mozzarella

Zubereitungszeit 80 Minuten

❶ Wirsing putzen, vierteln und den Strunk herausschneiden. Die Viertel waschen und hobeln. Zwiebel und Petersilie hacken. Öl erhitzen, Zwiebel darin bei schwacher Hitze glasig braten. Wirsing kurz mitschmoren. Sahne zugeben und alles zugedeckt bei mittlerer Hitze etwa 15 Minuten schmoren. Mit Petersilie und Kümmel mischen, mit Salz und Pfeffer würzen.

❷ Für die Pfannkuchen Mehl mit Salz und Milch verrühren. Eier trennen, Eigelb unter den Teig mischen. Eiweiß steif schlagen und unterziehen.

❸ Öl erhitzen. Die Hälfte des Teiges darin zu einem dicken Pfannkuchen verstreichen und zugedeckt bei mittlerer Hitze etwa 5 Minuten backen, bis die Oberfläche fest ist.

❹ Pfannkuchen mit der gebackenen Seite nach unten in eine runde halbhohe Auflaufform geben und das Wirsinggemüse darauf verteilen.

❺ Den zweiten Pfannkuchen ebenso backen und mit der gebackenen Seite auf das Wirsinggemüse legen. Den gewürfelten Mozzarella darauf verteilen.

❻ Wirsing-Pfannkuchen in den kalten Backofen (mittlere Schiene) schieben und bei 200 °C (Umluft 180 °C, Gas Stufe 3) etwa 30 Minuten backen. Zum Servieren den Wirsingpfannkuchen wie eine Torte aufschneiden.
Dazu passen: Tomatensalat und Brot.

► **Pro Portion**
2486/595 kJ/kcal • 22 g Eiweiß
42 g Fett • 23 g Kohlenhydrate
7 g Ballaststoffe • 209 mg Cholesterin

Olivenöl zum Braten und ballaststoffreiches Gemüse wie Wirsing gleichen die Cholesterinbelastung durch Eier und Käse teilweise wieder aus.

TIP

Alle Kohlsorten wirken mehr oder weniger stark blähend. Das kann man mit Kümmel oder Fenchelsamen etwas mildern.

Kartoffelgratin mit Tomaten

Das Gratin schmeckt nur mit wirklich reifen Fleischtomaten aus dem Freiland. Mit anderen Sorten, die man rund ums Jahr bekommt, wird der Auflauf wässrig.

Für 4 Portionen

- 800 g Kartoffeln
- 2 große Fleischtomaten
- Salz
- frisch gemahlener Pfeffer
- 1/8 l Milch
- 125 g Sahne
- 1 große Knoblauchzehe
- 100 g Raclettekäse

Zubereitungszeit 60 Minuten

❶ Kartoffeln schälen, waschen, in dünne Scheiben schneiden und schuppenförmig in eine flache Gratinform legen. Tomaten abziehen, in Scheiben schneiden und auf die Kartoffeln legen. Mit Salz und Pfeffer würzen.

❷ Milch, Sahne und zerdrückten Knoblauch mischen und an den Seiten zum Gratin gießen. Käse reiben und darüber streuen.

❸ Das Gratin in den kalten Backofen (mittlere Schiene) stellen und bei 200 °C (Umluft 180 °C, Gas Stufe 3) etwa 40 Minuten backen, bis die Kartoffeln weich sind.

Pro Portion

1723/412 kJ/kcal • 14 g Eiweiß
9 g Fett • 41 g Kohlenhydrate
7 g Ballaststoffe • 61 mg Cholesterin

Zu Recht gilt die Kartoffel als ausgesprochen vielseitige Knolle, die sich immer wieder unterschiedlich zubereiten lässt.

Gebackene Kartoffeln

Für 4 Portionen

- 700 g Kartoffeln
- 2 Knoblauchzehen
- 2 Zweige frischer Rosmarin
- 2 EL Olivenöl
- 2 kleine Zucchini, 50 g Gouda
- Salz, frisch gemahlener Pfeffer
- 125 g Sahne, 2 EL Paniermehl

Zubereitungszeit 70 Minuten

❶ Kartoffeln mit der Schale halbweich garen. Kalt abschrecken, schälen und in etwa fünf Millimeter dünne Scheiben schneiden. Knoblauch zerdrücken, Rosmarinnadeln hacken, mit Öl mischen. Zucchini längs in dünne Scheiben schneiden. Käse reiben.

❷ Kartoffeln und Zucchini dachziegelartig in eine Gratinform schichten und die Knoblauchmischung dazwischen geben. Mit Salz und Pfeffer würzen, mit Paniermehl und Käse bestreuen. Sahne zugießen.

❸ Das Gratin in den kalten Backofen (mittlere Schiene) stellen und bei 220 °C (Umluft 200 °C, Gas Stufe 4) etwa 35 Minuten backen.

Pro Portion

1585/379 kJ/kcal • 10 g Eiweiß
19 g Fett • 39 g Kohlenhydrate
5 g Ballaststoffe • 42 mg Cholesterin

Die Internationalen

Moussaka mit Zucchini

Für 6 Portionen
175 g mittelalter Gouda
1 Zwiebel
2 Knoblauchzehen
3 EL Öl
40 g Mehl
1/2 TL Cayennepfeffer
schwarzer Pfeffer
1/8 l Gemüsebrühe
3/8 l Milch
125 g Sahne
Salz
geriebene Muskatnuss
1 kg kleine Zucchini
400 g Kartoffeln (mehlige Sorte)
500 g Tomaten
2 Bund Petersilie
50 g weiche Butter
oder Pflanzenmargarine

Zubereitungszeit 120 Minuten

1 Käse reiben. Zwiebel und Knoblauch fein zerkleinern und im heißen Öl bei schwacher Hitze glasig braten. Mit Mehl, Cayennepfeffer und schwarzem Pfeffer aus der Mühle bestreuen und unter Rühren einige Sekunden rösten.

2 Brühe und Milch mischen, langsam zugießen und dabei ständig rühren, bis die Sauce ganz glatt ist. Zugedeckt bei schwacher Hitze knapp 5 Minuten kochen. Topf von der Kochstelle nehmen. Sahne und Käse in die Sauce rühren. Mit Salz und Muskat kräftig abschmecken und abkühlen lassen.

3 Zucchini waschen, abtrocknen und der Länge nach in etwa einen halben Zentimeter dicke Scheiben schneiden. Kartoffeln schälen, waschen, abtrocknen und auf dem Gurkenhobel in dünne Scheibchen schneiden. Die Tomaten abziehen und würfeln, die Petersilie fein hacken.

4 Eine halbhohe Auflaufform mit etwas Fett ausstreichen. Zucchini-, Kartoffel- und Tomatenscheiben, Petersilie und Käsesauce schichtweise in die Form füllen. Jede Schicht mit Salz würzen. Als Abschluss den Rest der Käsesauce auf der Moussaka glattstreichen. Das restliche Fett in Flöckchen teilen und darauf legen.

5 Die Moussaka in den kalten Backofen (untere Schiene) schieben und bei 200 °C (Umluft 180 °C, Gas Stufe 3) etwa 60 Minuten backen, bis die Kartoffeln weich sind.
Dazu passen: Fladenbrot, Tomatensalat und eventuell selbst gemachtes Tzatziki.

Pro Portion
1904/455 kJ/kcal • 16 g Eiweiß
29 g Fett • 28 g Kohlenhydrate
6 g Ballaststoffe • 68 mg Cholesterin

Margarine kann tierisches Fett enthalten. Deshalb beim Kauf die Zutatenliste lesen und reine Pflanzenmargarine wählen, wenn Sie auf den Cholesterinspiegel achten müssen.

Italienisches Brotgratin

Thymian wirkt krampf- und schleimlösend und antibakteriell. Deshalb ist er Bestandteil von Hustensaft und Halsbonbons. Sein ätherisches Öl, die Bitter- und Gerbstoffe unterstützen die Verdauung bei einem so kräftigen Gericht wie diesem italienischen Brotgratin.

Für 4 Portionen

500 g Tomaten
250 g Mozzarella
200 g italienisches Weißbrot
100 g getrocknete Tomaten in Öl
1 Bund Thymian
Salz, schwarzer Pfeffer

Zubereitungszeit 40 Minuten

❶ Backofen auf 250 °C (Umluft 220 °C, Gas Stufe 5) vorheizen. Abgezogene Tomaten und Mozzarella in Scheiben schneiden. Weißbrot in dünne Scheiben schneiden.

❷ Frische und getrocknete Tomaten, Brot und Mozzarella schuppenförmig in eine flache Gratinform legen, Thymianblätter dazwischen verteilen. Das Gratin mit Salz und Pfeffer aus der Mühle würzen.

❸ Brotgratin in den heißen Backofen (mittlere Schiene) stellen und etwa 20 Minuten backen, bis es oben schön braun ist.

► **Pro Portion**
1907/456 kJ/kcal
21 g Eiweiß • 20 g Fett
42 g Kohlenhydrate
11 g Ballaststoffe
31 mg Cholesterin

Überbackene Kichererbsen

Für 4 Portionen

2 mittelgroße Zucchini
1 kleine rote Chilischote
1 Knoblauchzehe
1 Bund Petersilie
etwas unbehandelte Zitronenschale
1 Dose Pizzatomaten
1 Dose Kichererbsen
4 EL Olivenöl
200 g weicher Schafskäse (Feta)

Zubereitungszeit 60 Minuten

❶ Zucchini würfeln. Chilischote von allen Kernen befreien und in feine Streifen schneiden. Knoblauch, Petersilie und Zitronenschale hacken. Alles mit Pizzatomaten, abgetropften Kichererbsen und 1 Esslöffel Öl mischen und in eine flache Gratinform geben. Schafskäse in Stücke schneiden und darauf verteilen. Mit dem restlichen Öl beträufeln.

❷ Die Form in den kalten Backofen (mittlere Schiene) schieben und die Kichererbsen bei 200 °C (Umluft 180 °C, Gas Stufe 3) etwa 45 Minuten backen.

► **Pro Portion**
1710/409 kJ/kcal • 18 g Eiweiß
24 g Fett • 26 g Kohlenhydrate
9 g Ballaststoffe • 30 mg Cholesterin

Cannelloni

Für 4 Portionen
1 kleine Aubergine
100 g Austernpilze
1 große Zwiebel
2 Knoblauchzehen
1 Bund frische Minze
2 EL ÖL
Salz, frisch gemahlener Pfeffer
150 g Parmesan
250 g Mozzarella
100 g Crème fraîche
4 EL Gemüsebrühe
1/8 l Tomatensaft
12 Vollkorn-Lasagneblätter (fertig gekauft; 200 g)

Zubereitungszeit 100 Minuten

❶ Für die Füllung die gewaschene Aubergine und die Austernpilze sehr fein hacken oder im Blitzhacker zerkleinern. Zwiebel, Knoblauch und Minze fein hacken.

❷ Die Hälfte des Öls in einer großen Pfanne erhitzen. Aubergine, Pilze, Zwiebel und Knoblauch darin etwa 10 Minuten schmoren. Mit Salz und Pfeffer kräftig würzen und das Ganze abkühlen lassen. Minze untermischen.

❸ Den Parmesan reiben, den Mozzarella in Scheiben schneiden. Crème fraîche, Brühe, Tomatensaft, Salz und Pfeffer verrühren.

❹ Reichlich Salzwasser mit dem restlichen Öl aufkochen. Je 3 Lasagneblätter darin etwa 3 Minuten sprudelnd kochen, bis sie weich genug zum Rollen sind. Herausnehmen und auf ein Küchentuch legen.

❺ Die Lasagneblätter jeweils mit Füllung bestreichen, aufrollen und nebeneinander in eine flache Gratinform legen. Mit dem Parmesan bestreuen, mit der Tomatensaftmischung übergießen und zuletzt mit den Mozzarellascheiben belegen.

❻ Die Cannelloni in den kalten Backofen (mittlere Schiene) schieben und bei 200 °C (Umluft 180 °C, Gas Stufe 3) etwa 35 Minuten backen, bis sie oben schön gebräunt sind.

► Pro Portion

2709/648 kJ/kcal • 35 g Eiweiß
35 g Fett • 39 g Kohlenhydrate
8 g Ballaststoffe
89 mg Cholesterin

TIP

Die Lasagneblätter dürfen nach dem Vorgaren nicht zu stark abkühlen, sonst werden sie trocken und brechen beim Rollen. Deshalb immer höchstens drei Blätter auf einmal garen und auf einem Küchentuch nur so lange liegen lassen, bis man sie gut anfassen kann.

Griechischer Spinatauflauf

In der vegetarischen Küche spielt Sesam wie alle anderen Nüsse und Samen eine große Rolle: Die Saat ist reich an Eiweiß und mehrfach ungesättigten Fettsäuren. Deshalb verwenden wir Sesam vor allem als Öl, Zutat für Müsli, herzhaftes Gebäck und Brot.

Für 8 Portionen

300 g fester Schafskäse
1 Bund Petersilie
1 Zwiebel , 500 g Spinat
Salz, frisch gemahlener Pfeffer
geriebene Muskatnuss
125 g Butter oder Margarine
1 Ei, 1/8 l Milch
Fett für die Form
1 Paket Yufka-Teigblätter (500 g)
10 EL Milch
3 EL Sesamsaat (ca. 60 g)

Zubereitungszeit 90 Minuten

❶ Den Schafskäse reiben. Petersilie und Zwiebel fein hacken. Spinat verlesen und waschen. Tropfnass in einen Topf geben und bei starker Hitze in etwa 3 Minuten zusammenfallen lassen. Auf einem Sieb gut abtropfen und abkühlen lassen. Spinat grob hacken, mit Käse, Zwiebel und Petersilie mischen, mit Salz, Pfeffer und Muskat würzen.

❷ Das Fett zerlassen, aber nicht bräunen. Ei verquirlen. Zuerst mit der Milch, dann mit dem flüssigen, lauwarmen Fett verrühren.

Der Auflauf schmeckt frisch aus dem Ofen als warmes Hauptgericht oder abgekühlt als Snack.

❸ Eine rechteckige ofenfeste Form (etwa 20 mal 30 Zentimeter) einfetten. Zwei Drittel der Teigblätter einzeln übereinander in die Form legen, dabei jedes Teigblatt mit der Mischung aus Ei, Milch und Fett bepinseln. Spinatmischung darauf verteilen. Mit den restlichen Teigblättern abdecken, dabei wieder jedes Blatt mit Fettmischung bepinseln.

❹ Den Auflauf in der Form mit einem scharfen, langen Messer in Portionsstücke schneiden. Mit dem Rest der Fettmischung beträufeln und mit dem Sesam bestreuen.
In den kalten Backofen (untere Schiene) schieben und bei 200 °C (Umluft 180 °C, Gas Stufe 3) etwa 40 Minuten backen. Warm oder kalt servieren.

► Pro Portion

2490/596 kJ/kcal • 15 g Eiweiß
47 g Fett • 22 g Kohlenhydrate
3 g Ballaststoffe • 153 mg Cholesterin

TIP

Papierdünnen Yufka-Teig bekommen Sie abgepackt in griechischen oder türkischen Lebensmittelgeschäften.
Der Teig darf nicht über den Formrand ragen, sonst verbrennt er beim Backen. Den richtigen Käse gibt es ebenfalls in Mittelmeerläden: Kefalotiri, Kefalograviera oder Kasar peyniri sind länger gereift und deshalb härter als Feta, der weiche Schafskäse.

Chayotengratin mit Käsesauce

Für 5 Portionen

6 Chayoten (ca. 1,2 kg)
125 g alter Goudakäse
1 Knoblauchzehe, Salz
2 EL weiche Butter oder Pflanzenmargarine
1 EL Weizenvollkornmehl
1/4 l Milch
frisch gemahlener Pfeffer
Fett für die Form
250 g Semmelbrösel
2 EL gehackte Petersilie

Zubereitungszeit 60 Minuten

❶ Die Chayoten wie Pellkartoffeln unter fließendem Wasser abbürsten und mit Wasser in etwa 20 Minuten weich kochen. Längs halbieren, den Kern jeweils herausschneiden, das Fruchtfleisch mit einem Löffel herauskratzen und zu Püree zerdrücken. Den Käse reiben.

❷ Backofen auf 220 °C (Umluft 200 °C, Gas Stufe 4) vorheizen. Für die Sauce den Knoblauch mit Salz zerdrücken. Fett mit Knoblauch und Mehl zu einer Paste verrühren und in einem Topf erhitzen. Unter Rühren nach und nach die Milch zugeben. Die Sauce 5 Minuten bei schwacher Hitze kochen. Die Hälfte der Käsemenge unterrühren, mit Salz und Pfeffer abschmecken.

❸ Chayotenpüree in eine gefettete, halbhohe Auflaufform streichen. Mit der Käsesauce begießen. Den restlichen Käse mit den Semmelbröseln vermischen und darüber streuen. Das Gratin im heißen Backofen in etwa 10 Minuten goldgelb überbacken. Mit Petersilie bestreut servieren.

► **Pro Portion**

1891/452 kJ/kcal • 16 g Eiweiß
17 g Fett • 53 g Kohlenhydrate
4 g Ballaststoffe • 43 mg Cholesterin

Chayote, auch Choux-Choux genannt, gehört zur Kürbisfamilie und stammt aus Mittelamerika und Brasilien. Bei uns gehört sie zu den Exoten, die im Winter das Gemüseangebot bereichern: Sie bekommen die Früchte am besten zwischen November und April in gut sortierten Gemüse-, Asien- und Lateinamerikaläden.

Currykartoffeln in Kokoscreme

Für 4 Portionen

1 Stück frischer Ingwer (ca. 2 cm lang)
2 Knoblauchzehen
2 große Tomaten
1 TL gemahlener Kreuzkümmel
1 TL gemahlener Koriander
1 gehäufter TL gemahlene Gelbwurz
1/4 TL Chilipulver
1 TL Zitronensaft
1 1/2 TL Salz
2 Dosen Kokoscreme (800 ml)
1 kg kleine neue Kartoffeln
1 EL gehackte Petersilie

Zubereitungszeit 75 Minuten

❶ Ingwer schälen und reiben, Knoblauch zerdrücken. Tomaten abziehen und fein zerkleinern. Alles mit Kreuzkümmel, Koriander, Gelbwurz, Chilipulver, Zitronensaft, Salz und Kokoscreme verrühren.

❷ Die Kartoffeln gründlich waschen. Mit der gewürzten Kokoscreme mischen und in eine große, flache Gratinform geben.

❸ Die Kartoffeln in den kalten Backofen (mittlere Schiene) schieben und bei 200 °C (Umluft 180 °C, Gas Stufe 3) in etwa 60 Minuten weich garen. Dabei ab und zu wenden. Mit der Petersilie bestreut servieren.

► Pro Portion

4022/962 kJ/kcal • 14 g Eiweiß
73 g Fett • 53 g Kohlenhydrate
27 g Ballaststoffe
0 mg Cholesterin

Gebackene Süßkartoffeln

Für 4 Portionen

4 Süßkartoffeln (ca. 1,2 kg)
1 Zwiebel, 1 Knoblauchzehe
1 kleine rote Chilischote
4 Stängel Petersilie
750 g Tomaten, 2 EL Olivenöl
2 EL Tomatenmark
2 EL Kapern, Salz
1 Prise Zucker, 75 g Bergkäse

Zubereitungszeit 70 Minuten

❶ Süßkartoffeln waschen und bürsten. In fingerdicke Scheiben schneiden und schuppenförmig in eine flache Gratinform legen.

❷ Zwiebel und Knoblauch hacken. Chilischoten entkernen und fein hacken. Petersilie fein zerkleinern. Tomaten abziehen und würfeln. Alles mit Öl, Tomatenmark, Kapern, Salz und Zucker mischen und über die Süßkartoffeln geben. Käse raspeln und darüber streuen.

❸ Kartoffeln in den kalten Backofen (mittlere Schiene) schieben und bei 180 °C (Umluft 160 °C, Gas Stufe 2) etwa 45 Minuten backen.

► Pro Portion

2348/562 kJ/kcal • 14 g Eiweiß
17 g Fett • 82 g Kohlenhydrate
29 g Ballaststoffe • 13 mg Cholesterin

Süßkartoffeln sind in vielen Tropenländern Grundnahrungsmittel, weil sie viel Stärke als Sattmacher, Zucker als schnellen Energielieferanten und Eiweiß als Grundbaustein unserer Nahrung enthalten. Im Gehalt an Beta-Karotin übertreffen sie sogar noch Karotten.

Gefüllte Artischocken

Es sind nicht die Nährstoffe, die Artischocken zu einem gesunden Lebensmittel machen, sondern der Bitterstoff Cynarin. Er lässt die Gallensäuren reichlich fließen und unterstützt so die Verdauung. Deshalb wird mit Cynarin auch ein bekannter Magenbitter hergestellt.

Für 4 Portionen

4 große, runde Artischocken
1 1/2 Zitronen
Salz
1 Zwiebel
1 Knoblauchzehe
300 g Tomaten
100 g Parmesan
2 Scheiben Toastbrot
1/8 l trockener Weißwein
1 Päckchen tiefgefrorene italienische Kräuter
Salz
frisch gemahlener Pfeffer
4 EL Gemüsebrühe
2 EL Olivenöl

Zubereitungszeit 75 Minuten

❶ Die Stiele der Artischocken abbrechen und die äußeren Blätter entfernen. Die anderen Blätter mit der Küchenschere um etwa die Hälfte zurückschneiden. Dann die Artischocken mit dem Saft der halben Zitrone beträufeln, damit sie sich nicht verfärben.

❷ Reichlich Salzwasser zum Kochen bringen. Die andere Zitrone in Scheiben schneiden und mit den Artischocken in das sprudelnd kochende Wasser geben. Die Artischocken einmal aufkochen und zugedeckt bei schwacher Hitze 15 Minuten garen.

❸ Das Gemüse abgießen, kalt abschrecken und umgedreht auf ein doppelt gefaltetes Küchentuch zum Abtropfen legen.

❹ Den Backofen auf 200 °C (Umluft 180 °C, Gas Stufe 3) vorheizen. Zwiebel und Knoblauch fein hacken, Tomaten abziehen und würfeln, Käse fein reiben. Das Toastbrot klein zerpflücken und mit 3 Esslöffel Wein und den Tomatenwürfeln vermischen.

❺ Die Blätter der Artischocken auseinander biegen. Die dünnen hellen Blätter herausdrehen, das flaumige »Heu« mit einem Teelöffel herauskratzen.

❻ Das Brot mit Zwiebeln, Knoblauch, 2 Esslöffel Käse, Kräutern, Salz und Pfeffer mischen und in die Artischocken geben. Die Artischocken nebeneinander in eine flache Gratinform setzen, restlichen Wein und die Brühe an den Seiten zugießen. Die Artischocken mit dem Rest des Parmesans bestreuen, mit dem Öl beträufeln, in den heißen Backofen (mittlere Schiene) stellen und etwa 20 Minuten backen.

► **Pro Portion**
1079/258 kJ/kcal • 13 g Eiweiß
11 g Fett • 18 g Kohlenhydrate
6 g Ballaststoffe • 13 mg Cholesterin

Solche dekorativen Artischocken schmecken warm und kalt. Sie passen deshalb auch gut auf ein Büffet.

Gemüsepizza

Verwenden Sie ruhig viele Tomatenprodukte: Tomatensaft und Mark, Pizzatomaten aus der Dose und sogar die Tomatensauce auf der Pizza enthalten bestimmte Karotinoide, die unser Körper noch besser verwerten kann als die Wirkstoffe in frischen Tomaten. Karotinoide sind wirksamer Schutz gegen Herz- und Kreislaufkrankheiten, Krebs und vermutlich auch Rheuma.

Für 2 Portionen

Teig:
150 g Mehl, 1 TL Trockenhefe
Salz, 5 EL Wasser
4 EL Milch, 1 EL Öl

Belag:
150 g Blumenkohlröschen
100 g Champignons
2 Stangen Staudensellerie
1 Stange Porree, 2 EL Olivenöl
Salz, frisch gemahlener Pfeffer
3 Fleischtomaten
1/2 Bund Petersilie
75 g Parmesan
125 g Mozzarella
Fett für das Blech
Mehl zum Ausrollen
2 EL Tomatensaft
2 EL Tomatenmark
1 TL getrockneter Oregano

Zubereitungszeit 80 Minuten

❶ Mehl, Hefe, eine kräftige Prise Salz, Wasser, Milch und Öl mit den Knethaken des Handrührgerätes 5 Minuten durchrühren. Zugedeckt bei Zimmertemperatur 45 Minuten ruhen lassen.

❷ Blumenkohl waschen und grob hacken. Geputzte Pilze würfeln, Sellerie klein schneiden. Porree putzen, waschen und in dünne Ringe schneiden. Alle diese Zutaten in 1 Esslöffel heißem Öl bei mittlerer Hitze etwa 3 Minuten braten. Mit Salz und Pfeffer würzen und abkühlen lassen.

❸ Tomaten abziehen und in Scheiben schneiden. Petersilie fein hacken, Parmesan reiben, Mozzarella würfeln. Ein Backblech fetten. Den Teigkloß darauf geben, mit dem Handballen flach drücken, mit Mehl bestreuen und mit dem Nudelholz auf dem Backblech ausrollen.

❹ Petersilie mit Tomatensaft, -mark, dem restlichen Öl, Oregano und 1 Esslöffel Parmesan vermischen und auf den Pizzaboden streichen. Gemüse, Tomaten, den restlichen Parmesan und zum Schluss die Mozzarellawürfel auf dem Teig verteilen. Weitere 15 Minuten gehen lassen. In den kalten Ofen (mittlere Schiene) schieben und bei 200 °C (Umluft 180 °C, Gas Stufe 3) etwa 30 Minuten backen.

► Pro Portion
3800/909 kJ/kcal • 45 g Eiweiß
45 g Fett • 68 g Kohlenhydrate
20 g Ballaststoffe • 52 mg Cholesterin

Italienischer Reisauflauf

Für 4 Portionen

- 150 g Rundkornreis
- 1/2 l kräftige Gemüsebrühe
- 1 mittelgroße Aubergine
- 3 mittelgroße Tomaten
- 1 Zwiebel
- 1 Knoblauchzehe
- 200 g Fontina
- 4 EL Olivenöl
- 1 EL getrockneter Oregano
- Salz, Cayennepfeffer
- 1 EL Zitronensaft
- 1 Päckchen tiefgefrorene italienische Kräuter
- 1 EL Butter oder Pflanzenmargarine

Zubereitungszeit 70 Minuten

❶ Den Reis mit einem Drittel der Brühe aufkochen und zugedeckt bei schwacher Hitze 10 Minuten garen. Im offenen Topf weitere 20 Minuten garen, dabei nach und nach die restliche Brühe zugießen.

❷ Die Aubergine waschen, abtrocknen und der Länge nach in Scheiben schneiden. Die Tomaten abziehen und fein würfeln. Zwiebel und Knoblauch fein zerkleinern. Den Käse reiben.

❸ Öl erhitzen, die Auberginenscheiben darin bei schwacher Hitze weich und hellbraun braten, herausnehmen. Zum Schluss Zwiebel und Knoblauch mit dem Oregano bei schwacher Hitze glasig braten.

❹ Den Reis in einer Schüssel mit Zwiebel, Knoblauch, Tomaten, der halben Menge Käse, Salz und einer kräftigen Prise Cayennepfeffer vermischen. Die Hälfte davon in eine hohe Auflaufform geben. Auberginenscheiben darauf legen, mit Salz, Cayennepfeffer, Zitronensaft und den Kräutern würzen und mit dem restlichen Reis bedecken. Zuerst den restlichen Käse, dann das Fett in Flöckchen darauf verteilen.

❺ Den Auflauf in den kalten Backofen (untere Schiene) stellen und bei 200 °C (Umluft 180 °C, Gas Stufe 3) etwa 30 Minuten backen, bis er oben schön gebräunt ist.

► Pro Portion

2130/510 kJ/kcal • 16 g Eiweiß
59 g Fett • 38 g Kohlenhydrate
5 g Ballaststoffe
44 mg Cholesterin

Unter Experten gilt die mediterrane Küche als die gesündeste: Mit wenig Fleisch, aber viel Gemüse, reichlich Kräutern, Olivenöl als Fettlieferanten und Käse für Eiweiß und Kalzium bleiben Herz und Kreislauf in Schwung. Das Schöne daran: Diese Küche ist auch eine der besten.

Lasagne mit Porree und Brokkoli

Beim Gemüseputzen nicht zuviel wegschneiden: Grüne Blätter liefern Magnesium für gute Nerven und ruhigen Schlaf.

Für 8 Portionen

600 g Brokkoli
400 g mittelgroßer Stangenporree
2 EL Öl
500 g Tomaten
250 g Mozzarella
100 g Parmesan
1/2 l Milch
frisch gemahlener Pfeffer
geriebene Muskatnuss
500 g weiße oder grüne Lasagne-Nudelplatten (ohne Vorkochen verwendbar)
Salz

Zubereitungszeit 75 Minuten

❶ Brokkoli und Porree waschen und putzen. Brokkoli in Röschen teilen, Stiele in Scheiben schneiden, Porree in feine Ringe schneiden. Gemüse im heißen Öl bei mittlerer Hitze etwa 3 Minuten dünsten.

❷ Tomaten abziehen und würfeln. Mozzarella in Scheiben oder Würfel schneiden.

❸ Für die Sauce Parmesankäse reiben und mit der Milch mischen, mit je einer Prise Pfeffer und Muskat würzen.

❹ Die Nudelplatten abwechselnd mit Brokkoli-Porree-Gemüse, Tomaten und Parmesansauce in eine ofenfeste Form mit halbhohem Rand schichten. Dabei Gemüse und Tomaten jeweils leicht salzen.

❺ Die oberste Schicht muss aus Nudelplatten bestehen. Diese mit dem Rest der Parmesansauce und dem Mozzarella bedecken.

❻ Die Lasagne in den kalten Backofen schieben und bei 200 °C (Umluft 180 °C, Gas Stufe 3) etwa 45 Minuten backen.

► **Pro Portion**
1979/473 kJ/kcal • 25 g Eiweiß
16 g Fett • 51 g Kohlenhydrate
8 g Ballaststoffe • 87 mg Cholesterin

Reich an Gemüse – die gesunde Variante der klassischen Lasagne.

Gefüllte Kartoffelschalen

Für 4 Portionen

- 4 große Kartoffeln (vorwiegend fest kochende Sorte)
- 150 g Austernpilze
- 1 Zwiebel
- 4 Stängel Petersilie
- 1 kleine rote Chilischote
- 2 EL Olivenöl
- 250 g Pizzatomaten (Dose)
- Salz
- 1 Prise Zucker
- 1 Knoblauchzehe
- 75 g Cheddar

Chilischoten kurbeln den Kreislauf an, fördern die Durchblutung, machen Hitze erträglicher und wirken gegen Darminfektionen - das chilischarfe Essen in südlichen Ländern hat deshalb viel Sinn. Es spielt übrigens keine Rolle, ob Sie das Essen mit frischen, getrockneten oder gemahlenen Chilischoten, dem Cayennepfeffer, würzen.

Zubereitungszeit 110 Minuten

❶ Kartoffeln gründlich waschen, mehrmals einstechen und auf den Backofenrost legen. In den kalten Ofen (mittlere Schiene) schieben und bei 250 °C (Umluft 220 °C, Gas Stufe 5) in etwa 60 Minuten weich backen. Herausnehmen und etwa 15 Minuten auskühlen lassen.

❷ Während die Kartoffeln backen, die Austernpilze fein zerkleinern. Zwiebel und Petersilie fein hacken. Chilischote halbieren, die Kerne entfernen. Die Schote waschen und fein hacken.

❸ Die Hälfte des Öls in einer Pfanne erhitzen. Alle zerkleinerten Zutaten darin bei mittlerer Hitze anbraten. Pizzatomaten zugeben und bei starker Hitze unter Rühren ganz dick einkochen. Mit Salz und Zucker würzen.

❹ Die Kartoffeln einmal längs halbieren, das Kartoffelfleisch bis auf einen etwa ein Zentimeter breiten Rand aushöhlen und für ein anderes Gericht verwenden. Die ausgehöhlten Kartoffeln auf ein Backblech legen. Den Knoblauch zerdrücken, mit dem Rest des Öls mischen und die Kartoffeln damit bestreichen. In den Ofen schieben und in etwa 12 Minuten knusprig backen.

❺ Jede Kartoffelhälfte mit der Pilzmischung füllen, mit dem geriebenen Käse bestreuen und weitere 2 Minuten backen, bis der Käse geschmolzen ist.

► **Pro Portion**
1478/354 kJ/kcal
12 g Eiweiß
13 g Fett
42 g Kohlenhydrate
10 g Ballaststoffe
20 mg Cholesterin

Überbackene Grießgnocchi

Für 4 Portionen

- 100 g Parmesan
- 3 Eier
- frisch gemahlener Pfeffer
- geriebene Muskatnuss
- 1 l Milch
- 1 TL Salz
- 200 g Hartweizengrieß
- 75 g Butter

Zubereitungszeit 60 Minuten

❶ Parmesan reiben, Eier in einer Schüssel mit Pfeffer und Muskatnuss wie für Rühreier verquirlen. Milch mit Salz bis knapp unter den Siedepunkt erhitzen. Die Kochstelle auf die schwächste Hitzestufe stellen. Grieß in dünnem Strahl unter ständigem Rühren in die Milch geben.

❷ Den Grießbrei unter Rühren 15–20 Minuten kochen, bis er sich als Kloß vom Topfboden löst. In eine Schüssel geben und erst die Hälfte der Butter, dann die Hälfte des Parmesans einrühren. Sobald der Grießbrei geschmeidig ist, die Eier dazu geben.

❸ Die Arbeitsfläche oder eine große Platte mit kaltem Wasser befeuchten. Den Grießbrei darauf etwa fingerdick verstreichen und ganz abkühlen lassen.

❹ Backofen auf 200 °C (Umluft 180 °C, Gas Stufe 3) vorheizen. Eine flache Gratinform mit 1 Esslöffel Butter ausstreichen. Vom Grießteig mit einem Glas etwa vier Zentimeter große Kreise ausstechen und wie Dachziegel in die Form legen. Mit dem restlichen Käse bestreuen. Den Rest der Butter in kleine Stücke schneiden und auf den Gnocchi verteilen.

❺ Gnocchi im heißen Ofen etwa 15 Minuten backen, bis sie goldgelb gebräunt sind.
Dazu passen: gemischter Salat und geschmorte Tomaten oder Blattspinat mit Knoblauch.

► **Pro Portion**
2768/662 kJ/kcal • 29 g Eiweiß
35 g Fett • 49 g Kohlenhydrate
2 g Ballaststoffe • 267 mg Cholesterin

TIP

Damit die Gnocchi beim Backen die Form behalten, müssen Sie den Grießbrei während des Garens immer wieder kräftig durchrühren und lange genug kochen.

Kräftiges Herbstobst wie Äpfel oder Birnen, kombiniert mit Käse, sind typischer Belag für herzhafte Kuchen aus der Schweizer Küche. Das schmeckt fein und ist gesund, denn die Ballaststoffe in Früchten können den Cholesteringehalt von Käse und Eiern teilweise ausgleichen.

Birnen ergänzen sich ideal mit Käse – das gilt in diesem Fall auch einmal für ein Hauptgericht.

Käsewähe mit Birnen

Für 6 Portionen

Teig:

- 200 g Mehl
- Salz, geriebene Muskatnuss
- 75 g Butter oder Pflanzenmargarine
- 5–6 EL Wasser

Belag:

- 250 g Greyerzer
- 1 Zweig Rosmarin oder
- 1 EL tiefgefrorene provenzalische Kräuter
- 200 ml Milch
- 100 g Sahne
- 1 Ei
- Salz
- Cayennepfeffer
- 2 feste Birnen
- 2 EL Zitronensaft

Zubereitungszeit 120 Minuten

❶ Mehl mit Salz, Muskat, weichem Fett und 5 Esslöffel Wasser zu einem glatten Mürbeteig verkneten. Bei Bedarf das restliche Wasser unterkneten.

❷ Eine Springform von 26 Zentimeter Durchmesser mit dem Mürbteig auslegen und dabei einen etwa drei Zentimeter hohen Rand formen. Teig in der Form 60 Minuten kühlen.

❸ Käse grob raspeln. Rosmarinnadeln abzupfen und fein zerkleinern. Milch mit Sahne, Ei, Salz und Cayennepfeffer verquirlen. Birnen achteln, schälen, vom Kerngehäuse befreien und die Achtel auf einen Teller mit dem darüber geträufelten Zitronensaft legen, bis alle Birnen vorbereitet sind.

❹ Den Teigboden kreisförmig mit den Birnenachteln belegen. Mit dem Rosmarin bestreuen. Die Eiermilch vorsichtig darübergießen und zum Schluss mit dem geraspelten Käse bestreuen.

❺ Die Wähe in den kalten Backofen (mittlere Schiene) schieben und bei 200 °C (Umluft 180 °C, Gas Stufe 3) etwa 40 Minuten backen, bis der Käse gebräunt ist.

► Pro Portion

2132/510 kJ/kcal • 19 g Eiweiß
32 g Fett • 30 g Kohlenhydrate
4 g Ballaststoffe • 138 mg Cholesterin

TIP

Noch schneller geht die Käsewähe mit 8 Scheiben tiefgefrorenem, bereits ausgerolltem Blätterteig. In Reformhäusern bekommen Sie auch Tiefkühlblätterteig mit Pflanzenmargarine und Vollkornmehl.

Gratinierter Mangold

Mangold erinnert im Geschmack an eine Mischung aus Spinat und Roten Beten, mit denen er übrigens verwandt ist. Wie diese Gemüse enthält auch Mangold aus konventionellem Anbau oft viel Nitrat. Blanchieren vermindert den Schadstoffgehalt.

Für 4 Portionen

1 kg Mangold
4 Knoblauchzehen
50 g Pinienkerne
50 g Korinthen
1/8 l Olivenöl
Salz, frisch gemahlener Pfeffer
250 g Mozzarella
2 EL Semmelbrösel

Zubereitungszeit 30 Minuten

❶ Backofen auf 220 °C (Umluft 200 °C, Gas Stufe 4) vorheizen. Gewaschenen Mangold in reichlich Wasser 3 Minuten blanchieren. Abtropfen lassen und in eine flache Gratinform legen.

❷ Knoblauch grob zerkleinern. Mit Pinienkernen und Korinthen im heißen Öl 2 Minuten braten. Alles über den Mangold verteilen. Mit Salz und Pfeffer würzen. Mozzarella würfeln und über den Mangold verteilen, Semmelbrösel darüber streuen. Im heißen Ofen (mittlere Schiene) etwa 10 Minuten backen.

► **Pro Portion**

2806/671 kJ/kcal • 22 g Eiweiß
51 g Fett • 24 g Kohlenhydrate
6 g Ballaststoffe • 29 mg Cholesterin

Schweizer Grießgratin

Für 5 Portionen

1 große Zwiebel
1 Knoblauchzehe
1 EL Öl
1/2 l Gemüsebrühe
100 g Hartweizengrieß
250 g Freiburger Vacherin oder Greyerzer
3 Eier
50 g Sahne
4 EL Milch
1/2 TL getrockneter Majoran
frisch gemahlener Pfeffer
geriebene Muskatnuss

Zubereitungszeit 50 Minuten

❶ Zwiebel und Knoblauch schälen, fein hacken und im heißen Öl bei schwacher Hitze glasig dünsten. Brühe zugießen und einmal aufkochen. Grieß langsam zugeben und unter Rühren erneut aufkochen. Zugedeckt bei schwacher Hitze etwa 10 Minuten garen, bis ein Brei entstanden ist. In eine flache Auflaufform geben.

❷ Den Käse fein reiben. Eier, Sahne und Milch mit einem Schneebesen verquirlen. Käse, Majoran, Pfeffer und Muskat unter die Eier mischen und anschließend über den Grießbrei gießen.

❸ Das Gratin in den kalten Backofen (untere Schiene) stellen und bei 180 °C (Umluft 160 °C, Gas Stufe 2) in etwa 30 Minuten goldbraun backen.
Dazu passt: Gurkensalat.

► **Pro Portion**
1797/430 kJ/kcal • 23 g Eiweiß
27 g Fett • 19 g Kohlenhydrate
2 g Ballaststoffe • 211 mg Cholesterin

Gefüllte Äpfel

Für 6 Portionen

- 6 säuerliche Äpfel (z.B. Cox Orange)
- 50 g Fetakäse
- 1 Zwiebel, 2 EL Öl
- 200 g Bulgur
- 1 EL Tomatenmark
- 1 TL getrocknetes Basilikum
- 1/2 l Gemüsebrühe
- Salz, frisch gemahlener Pfeffer
- 2 EL Magerjoghurt
- 1 EL Butter oder Pflanzenmargarine

Zubereitungszeit 60 Minuten

❶ Äpfel waschen, oben einen Deckel abschneiden und das Fruchtfleisch mit einem Kugelausstecher aushöhlen; dabei einen etwa halben Zentimeter dicken Rand stehen lassen. Das Apfelfleisch fein zerkleinern. Den Feta in sechs Stückchen schneiden.

❷ Zwiebel hacken und im heißen Öl bei schwacher Hitze glasig dünsten. Bulgur zugeben und unter Rühren anbraten. Tomatenmark, Basilikum und 3/8 Liter Brühe zugeben, mit Salz und Pfeffer würzen und zugedeckt bei schwacher Hitze 10 Minuten garen. Etwas abgekühlt mit dem gehackten Apfelfleisch und dem Joghurt mischen.

❸ Die Äpfel in einen großen Topf setzen, mit der Bulgurmischung füllen, je ein Stückchen Feta darauf legen und die Deckel wieder auf die Äpfel legen.

❹ Restliche Brühe und Fett aufkochen, bis das Fett geschmolzen ist. Mischung mit Pfeffer würzen und um die Äpfel gießen.

❺ Die Äpfel in den kalten Backofen (untere Schiene) schieben und bei 200 °C (Umluft 180 °C, Gas Stufe 3) etwa 30 Minuten backen, bis sie weich sind.

► **Pro Portion**
1115/267 kJ/kcal • 6 g Eiweiß
9 g Fett • 37 g Kohlenhydrate
8 g Ballaststoffe
11 mg Cholesterin

TIP

Das Originalrezept aus Russland wird mit Hackfleisch zubereitet. Bulgur und Fetakäse schmecken noch würziger; das Getreide liefert Ballaststoffe, der Fetakäse Kalzium.

Überbackene Pilze

Das alte Familienrezept aus Irland geht verschwenderisch mit Butter um – fast die doppelte Menge ist es im Original. Kalorienarme Pilze vertragen auch reichlich Fett, und wenn Sie auf Cholesterin achten müssen, nehmen Sie gute Margarine statt Butter. Kräftiges Vollkornbrot, frisch gekochte Pellkartoffeln und Rohkostsalat als Beilage liefern Vitamine und Ballaststoffe.

Für 4 Portionen

4 dicke Scheiben Weizenvollkornbrot (je ca. 50 g)
500 g Austernpilze
1 EL Zitronensaft
Salz, frisch gemahlener Pfeffer
125 g weiche Butter oder Pflanzenmargarine
1 Knoblauchzehe
1/2 Päckchen tiefgefrorene gemischte Kräuter

Zubereitungszeit 45 Minuten

❶ Die Rinde der Brotscheiben abschneiden, Brote in eine Form mit halbhohem Rand legen. Pilze in Streifen zupfen und verteilen. Mit dem Zitronensaft beträufeln, mit Salz und Pfeffer würzen.

❷ Fett mit dem zerdrückten Knoblauch und den Kräutern mischen und in kleinen Stücken auf die Pilze geben.

❸ Die Form zugedeckt in den kalten Backofen (mittlere Schiene) stellen. Pilze bei 220 °C (Umluft 200 °C, Gas Stufe 4) etwa 30 Minuten backen.

► Pro Portion
1603/384 kJ/kcal • 8 g Eiweiß
27 g Fett • 23 g Kohlenhydrate
7 g Ballaststoffe • 75 mg Cholesterin

Champignons oder Waldpilze eignen sich für dieses Gericht genauso gut.

Schwedische Backofenkartoffeln

Für 4 Portionen

8 mittelgroße Kartoffeln
3 EL Butter oder Pflanzenmargarine
1–1 1/2 TL Salz
1 EL Semmelbrösel
2 EL Gratinkäse

Zubereitungszeit 60 Minuten

❶ Kartoffeln schälen, waschen und mit einem scharfen Messer fächerförmig zu etwa drei Vierteln ein-, aber nicht ganz durchschneiden.

❷ Die Butter in einer ofenfesten Form schmelzen. Kartoffeln mit der eingeschnittenen Seite nach oben hineinlegen. Mit der Butter einpinseln und salzen.

❸ Die Kartoffeln in den kalten Backofen (mittlere Schiene) stellen und bei 225 °C (Umluft 200 °C, Gas Stufe 4) 30 Minuten backen. Hin und wieder mit dem Fett in der Form bepinseln.

❹ Semmelbrösel und Käse gemischt darüber geben und weitere 10 bis 15 Minuten überbacken.

► Pro Portion
1578/378 kJ/kcal • 9 g Eiweiß
12 g Fett • 54 g Kohlenhydrate
7 g Ballaststoffe • 32 mg Cholesterin

Polenta aus dem Ofen

Für 6 Portionen

- etwa 800 ml Wasser
- 200 g Instant-Maisgrieß (Polenta)
- 2–3 TL Instant-Gemüsebrühe
- 50 g Sonnenblumenkerne
- Salz, frisch gemahlener Pfeffer
- geriebene Muskatnuss
- Fett für das Blech, 2 EL Olivenöl
- 10 Salbeiblättchen
- 100 g Champignons
- 8 eingelegte Peperoni (Glas)
- 3 Fleischtomaten
- 200 g Fontina oder Schweizer Emmentaler in dünnen Scheiben

Salbei enthält Bitterstoffe, die den Gallenfluss fördern, so dass man Fettes besser verträgt. Doch wie alle Gewürzpflanzen mit reichlich ätherischen Ölen ist Salbei in größeren Mengen schädlich: Mehr als 20 Gramm Salbei pro Person sollten Sie bei einer Mahlzeit nicht servieren.

Zubereitungszeit 45 Minuten

❶ Wasser aufkochen. Maisgrieß und Gemüsebrühe zugeben, erneut aufkochen und bei schwächster Hitze unter gelegentlichem Rühren 5 Minuten kochen, bis das Wasser aufgesogen ist. Falls der Brei zu fest zum Streichen ist, noch Wasser untermischen.

❷ Sonnenblumenkerne ohne Fettzugabe goldbraun rösten und unter den Maisbrei mischen. Mit Salz, Pfeffer und Muskat würzen. Polenta auf ein gefettetes Backblech streichen und festdrücken. Mit dem Öl bestreichen, mit den Salbeiblättchen belegen. Den Backofen auf 200 °C (Umluft 180 °C, Gas Stufe 3) vorheizen.

❸ Pilze putzen oder waschen, blättrig schneiden und mit den abgetropften Peperoni auf der Polenta verteilen. Tomaten in Scheiben schneiden, auf die Pilze legen und mit den Käsescheiben bedecken.

❹ Polenta in den heißen Backofen (mittlere Schiene) schieben und etwa 15 Minuten backen, bis der Käse leicht gebräunt ist.
Dazu passen: Tomatensauce und gemischter Salat.

► Pro Portion

1590/380 kJ/kcal • 14 g Eiweiß
20 g Fett • 31 g Kohlenhydrate
5 g Ballaststoffe • 24 mg Cholesterin

TIP

Diese »Pizza« mit einem Boden aus Polenta geht viel schneller als die traditionelle Hefeteigpizza. Original italienische Instant-Polenta gibt es im Supermarkt; sie schmeckt wie normaler Maisgrieß, ist aber einfacher zu kochen.

Russischer Buchweizenauflauf

Für 4 Portionen

- 1 Zwiebel
- 50 g Buchweizenkörner
- 1 EL Öl
- 1/4 l Gemüsebrühe
- 100 g gemischte Kräuter
- 50 g Raclette oder Emmentaler
- 4 Eier
- 100 g saure Sahne
- 200 g körniger Frischkäse
- Salz, Cayennepfeffer
- 1/2 TL gemahlener Koriander
- Fett für die Form

Zubereitungszeit 105 Minuten

❶ Zwiebel fein hacken. Mit dem Buchweizen im heißen Öl anbraten. Die Brühe zugießen, den Buchweizen aufkochen und zugedeckt bei schwächster Hitze 10 Minuten garen. Dabei häufig umrühren, damit der Buchweizen nicht anliegt. Den Topf von der Kochstelle nehmen, den Buchweizen 45 Minuten quellen und dabei abkühlen lassen.

❷ Kräuter waschen, trockentupfen und ganz fein hacken. Käse fein reiben, die Eier trennen. Nacheinander die Eigelbe, dann die saure Sahne, esslöffelweise den Frischkäse und zum Schluss die Kräuter unter den Buchweizen rühren. Mit Salz, Cayennepfeffer und Koriander würzen.

❸ Eiweiß steif schlagen, auf den Teig geben und etwa die Hälfte der Käsemenge darüber streuen. Alles mit einem Kochlöffel vermischen.

❹ Teig in einer gefetteten, hohen Auflaufform glattstreichen und restlichen Käse darüber streuen. Den Auflauf in den kalten Backofen (mittlere Schiene) schieben und bei 180 °C (Umluft 160 °C, Gas Stufe 2) etwa 50 Minuten backen, bis er leicht gebräunt ist.

► Pro Portion

1763/422 kJ/kcal • 22 g Eiweiß
26 g Fett • 19 g Kohlenhydrate
3 g Ballaststoffe • 280 mg Cholesterin

Buchweizen ist kein Getreide, sondern ein Wiesenkraut wie Sauerampfer. Er enthält kein Klebereiweiß; deshalb können ihn auch Menschen essen, die an Zöliakie (Sprue) leiden.

Tortillas mit Zucchinisahne

Rotes und grünes Gemüse ist so gesund, dass Sie es täglich essen sollten: Vitamine und wirksame Pflanzensubstanzen darin stärken das körpereigene Immunsystem.

Für 4 Portionen

- 1 mittelgroßer Zucchino
- 1/4 Bund glatte Petersilie
- 250 g Salsa verde
- 200 g Sahne
- Salz, frisch gemahlener Pfeffer
- 1 große rote Paprikaschote
- 3 EL Öl
- 400 g Gouda
- 8–10 mexikanische Tortillas (weich)

Zubereitungszeit 50 Minuten

❶ Zucchino würfeln und 8 Minuten bei mittlerer Hitze kochen. Abkühlen lassen. Mit gewaschener Petersilie, Salsa verde und Sahne zu einer dickflüssigen Sauce pürieren. Mit Salz und Pfeffer würzen.

❷ Den Backofen auf 200 °C (Umluft 180 °C, Gas Stufe 3) vorheizen. Die Paprikaschote in Streifen schneiden. Im heißen Öl bei mittlerer bis schwacher Hitze 5 Minuten dünsten. Salzen und pfeffern. Den Käse reiben.

Die Salsa verde gibt hier den typisch mexikanischen Geschmack.

❸ Etwas Zucchinisahnesauce in eine ofenfeste Form gießen. 2 bis 3 Tortillas darauf legen und mit Sauce begießen. Darüber Paprikastreifen und Käse streuen. Drei weitere Schichten einfüllen und mit Käse abschließen.

❹ Tortillas mit der Zucchinisahnesauce in den vorgeheizten Backofen schieben und 15 bis 20 Minuten backen.

► Pro Portion

2927/700 kJ/kcal • 31 g Eiweiß
51 g Fett • 20 g Kohlenhydrate
3 g Ballaststoffe • 154 mg Cholesterin

TIP

Die »Enchiladas verdes« sind ein Originalrezept aus Mexiko. Tortillas und Salsa verde, die mexikanische grüne Sauce, gibt es in den Lebensmittelabteilungen großer Warenhäuser oder in Läden für lateinamerikanische Produkte.

Schwedischer Steckrübenauflauf

Steckrüben oder Kohlrüben sind die Sattmacher unter den Gemüsesorten: reich an komplexen Kohlenhydraten, die der Körper langsam verdaut.

Für 4 Portionen

1 Steckrübe (ca. 1 kg)
4 EL Gemüsebrühe
3 Zwieback, 2 Eier
2 EL Rüben- oder Apfelkraut
3 EL saure Sahne
geriebene Muskatnuss
Salz, frisch gemahlener Pfeffer
2 EL Zitronensaft
Fett für die Form
1 EL Butter oder Pflanzenmargarine

Zubereitungszeit 75 Minuten

❶ Die Steckrübe schälen, waschen und würfeln. Mit der Gemüsebrühe aufkochen und zugedeckt bei schwacher Hitze in etwa 20 Minuten sehr weich garen. Abgießen und mit dem Kartoffelstampfer zerdrücken.

❷ Zwieback in einen Gefrierbeutel geben und mit dem Nudelholz fein zerkleinern. Eier trennen.

❸ Zwieback, Eigelb, Rüben- oder Apfelkraut und saure Sahne unter das Rübenpüree rühren. Mit Muskat, Salz, Pfeffer und Zitronensaft würzen. Eiweiß steif schlagen und unterheben.

❹ Den Teig in eine gefettete hohe Auflaufform füllen, mit dem Fett in Flöckchen belegen und in den kalten Backofen (untere Schiene) schieben. Bei 180 °C (Umluft 160 °C, Gas Stufe 2) etwa 45 Minuten backen.

► Pro Portion

955/229 kJ/kcal • 8 g Eiweiß
11 g Fett • 21 g Kohlenhydrate
7 g Ballaststoffe • 130 mg Cholesterin

Gratiniertes Sauerkraut

Für 4 Portionen

1 Zwiebel
1 Knoblauchzehe, 2 EL Öl
150 g Langkornreis
Salz, frisch gemahlener Pfeffer
1 EL scharfes Paprikapulver
1 EL Kümmelkörner
1/2 EL getrockneter Majoran
1 EL Butterschmalz
750 g Sauerkraut
2 Lorbeerblätter
3/8 l Gemüsebrühe
250 g saure Sahne
200 g Gratinkäse
1/2 Bund Petersilie

Zubereitungszeit 110 Minuten

❶ Zwiebel und Knoblauch fein hacken und im heißen Öl glasig dünsten. Reis zugeben und kurz mitbraten. Mit Salz, Pfeffer, Paprika, Kümmel und Majoran würzen und von der Kochstelle nehmen.

❷ Einen Schmortopf mit dem Schmalz ausstreichen. Den Topf schichtweise mit Sauerkraut und Reis füllen. Lorbeerblätter darauf legen, Brühe an den Seiten zugießen, saure Sahne auf dem Kraut verteilen.

❸ Das Gratin zugedeckt in den kalten Backofen stellen und bei 160 °C (Umluft 140 °C, Gas Stufe 1) etwa 60 Minuten schmoren.

❹ Den Käse auf dem Kraut verteilen und das Gratin weitere 30 Minuten backen, bis der Käse leicht gebräunt ist. Petersilie fein hacken und über das Gratin streuen.

► **Pro Portion**
2326/556 kJ/kcal • 21 g Eiweiß
30 g Fett • 42 g Kohlenhydrate
8 g Ballaststoffe
68 mg Cholesterin

Schweizer Ramequin

Für 4 Portionen

- 10 Scheiben Weißbrot vom Vortag
- 50 g Butter oder Pflanzenmargarine
- 250 g Greyerzer oder Schweizer Emmentaler in dünnen Scheiben
- 3 große Eier, 400 ml Milch
- Salz, Pfeffer aus der Mühle

Zubereitungszeit 35 Minuten

❶ Brotscheiben im Toaster hellbraun rösten, etwas abkühlen lassen und mit dem Fett bestreichen. Abwechselnd mit den Käsescheiben dachziegelartig in eine ofenfeste Form mit halbhohem Rand schichten.

❷ Die Eier mit Milch, Salz und Pfeffer verquirlen und über dem Brot und dem Käse verteilen. Den Ramequin in den kalten Backofen (mittlere Schiene) stellen und bei 180 °C (Umluft 160 °C, Gas Stufe 2) in etwa 25 Minuten goldbraun backen.
Dazu passt: grüner Salat.

► **Pro Portion**
2740/655 kJ/kcal • 33 g Eiweiß
40 g Fett • 33 g Kohlenhydrate
6 g Ballaststoffe • 291 mg Cholesterin

TIP

Der Ramequin ist ein altes Bauerngericht mit vielen Varianten. Manchmal wird das Brot mit trockenem Weißwein befeuchtet, die Eiermilch mit Muskat gewürzt und die Form mit einer Knoblauchzehe ausgerieben. Fertig gebacken hat der Ramequin eine goldbraune Kruste, ist innen weich und saftig.

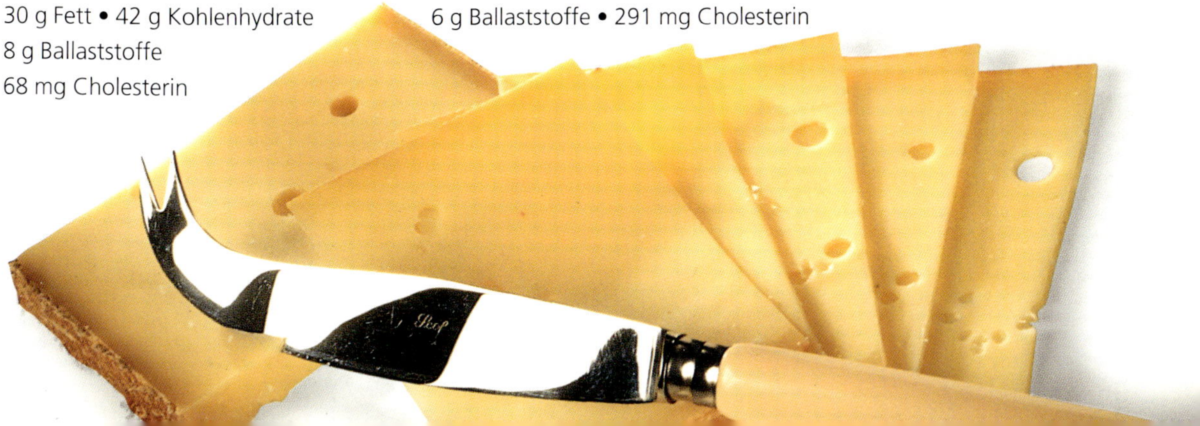

Die Edlen

Lauchquiche

Für 5 Portionen

Teig:
- 200 g Mehl
- Salz
- 1 Ei
- 1 EL Öl
- 2 Eigelb
- eventuell kaltes Wasser
- Fett für das Blech
- Mehl für die Arbeitsfläche

Belag:
- 750 g Porree
- 1 Knoblauchzehe
- 2 EL Öl
- 2 kleine Kartoffeln (vorwiegend fest kochende Sorte)
- 1 Bund Petersilie
- Salz, Cayennepfeffer
- 1/4 l Milch
- 200 g Sahne
- geriebene Muskatnuss
- 150 g Emmentaler
- 1 EL Butter oder Pflanzenmargarine

Zubereitungszeit 105 Minuten

❶ Aus Mehl, Salz, Ei, Öl und Eigelb einen Nudelteig kneten. Falls der Teig zu trocken ist, tropfenweise Wasser unterkneten. Zu klebrigen Teig teelöffelweise mit Mehl verkneten. Den Teig in Pergamentpapier wickeln und bei Zimmertemperatur 30 Minuten ruhen lassen.

❷ Die Fettpfanne des Backofens gut fetten. Den Teig auf Mehl millimeterdünn ausrollen oder durch die Nudelmaschine drehen. Die Fettpfanne mit den Teigplatten auslegen und dabei einen etwa ein Zentimeter hohen Rand formen.

❸ Für den Belag Porree putzen, waschen und mit allen saftigen grünen Blättern in feine Ringe schneiden. Knoblauch zerdrücken. Beide Zutaten im Öl bei schwacher Hitze etwa 5 Minuten dünsten. Dabei immer wieder umrühren.

❹ Kartoffeln schälen, waschen und grob raspeln. Petersilie fein hacken. Beide Zutaten mit dem Porree mischen, auf dem Teigboden verteilen und mit Salz und Cayennepfeffer würzen.

❺ Milch, Sahne und Muskat verrühren und über das Gemüse gießen. Käse fein reiben und darüber streuen. Fett in kleine Stücke schneiden und auf die Quiche legen.

❻ Die Quiche in den kalten Backofen (mittlere Schiene) schieben und bei 200 °C (Umluft 180 °C, Gas Stufe 3) etwa 45 Minuten backen, bis sie schön gebräunt ist.

► **Pro Portion**
2708/648 kJ/kcal • 23 g Eiweiß
40 g Fett • 42 g Kohlenhydrate
10 g Ballaststoffe • 259 mg Cholesterin

Die Blätter von wirklich frischem Porree müssen grün und saftig sein. Vergilbter Porree ist überlagert. Achten Sie auf Druckstellen; manchmal werden die Stangen beim Bündeln zu fest zusammengedrückt und können faulen.

Eiergratin mit Gemüse

Werfen Sie Fenchelgrün nicht weg: Es enthält noch mehr Vitamine und Mineralstoffe – vor allem Kalium und Magnesium – als die Knolle. Deshalb beim Putzen des Fenchels die zarten Fiederblättchen beiseite legen und zum Servieren fein gehackt über das Gratin streuen.

Für 3 Portionen

- 1 Fenchelknolle
- 4 getrocknete, eingelegte Tomaten
- 1 Knoblauchzehe
- 1 EL Öl der eingelegten Tomaten
- 2 EL Zitronensaft
- Salz, frisch gemahlener Pfeffer
- 100 g Raclette, Fontina oder Freiburger Vacherin
- 4 Eier
- geriebene Muskatnuss
- 200 g Sahne
- 1 EL Speisestärke

Zubereitungszeit 45 Minuten

❶ Den Fenchel putzen, waschen und fein zerkleinern. Die Tomaten in kleine Stücke schneiden, den Knoblauch zerdrücken. Alle Zutaten im Öl der Tomaten bei mittlerer bis schwacher Hitze etwa 5 Minuten dünsten. Mit dem Zitronensaft, Salz und Pfeffer würzen und in eine flache Gratinform geben.

❷ Den Backofen auf 200 °C (Umluft 180 °C, Gas Stufe 3) vorheizen. Käse in kleine Würfel schneiden, Eier trennen.

❸ Eigelb mit Salz, Pfeffer und Muskat verquirlen. Eiweiß und Sahne getrennt steif schlagen. Schlagsahne mit Speisestärke vermischen. Eischnee und Sahne abwechselnd mit einem Schneebesen unter das Eigelb ziehen.

❹ Die Eiercreme auf dem Gemüse verteilen und mit den Käsewürfeln bestreuen. Das Gratin in den heißen Backofen (mittlere Schiene) stellen und etwa 20 Minuten backen, bis der Käse schmilzt. Herausnehmen und sofort servieren. Dazu passt: grüner Salat.

► Pro Portion

2343/560 kJ/kcal
22 g Eiweiß
43 g Fett
13 g Kohlenhydrate
4 g Ballaststoffe
416 mg Cholesterin

Gefüllte Rote Beten

Für 4 Portionen

- 6 mittelgroße Rote Beten
- 100 g saure Sahne
- 200 g Frischkäse mit Meerrettich
- 1 Knoblauchzehe
- 1 Lauchzwiebel, 1/2 Bund Kerbel
- Salz, frisch gemahlener Pfeffer

Zubereitungszeit 100 Minuten

❶ Rote Beten 45 Minuten in reichlich Wasser kochen. Abgießen, kalt abschrecken. Saure Sahne mit dem Frischkäse verrühren. Knoblauch, Lauchzwiebel und Kerbel fein zerkleinern und mit der Käsecreme mischen.

❷ Rote Beten schälen und halbieren. Die Hälften mit einem Teelöffel aushöhlen, mit Salz und Pfeffer ausstreuen. Das Fruchtfleisch fein zerkleinern und ebenfalls unter die Käsecreme mischen. Die Roten Beten damit füllen und in eine flache Gratinform setzen.

❸ In den kalten Backofen (mittlere Schiene) schieben und bei 200 °C (Umluft 180 °C, Gas Stufe 3) etwa 35 Minuten backen.

► **Pro Portion**

880/211 kJ/kcal • 11 g Eiweiß
9 g Fett • 19 g Kohlenhydrate
8 g Ballaststoffe • 28 mg Cholesterin

Weizengratin

Für 4 Portionen

- 200 g Weizenkörner
- 1/2 l Gemüsebrühe
- 2 Eier
- 1 Päckchen tiefgefrorene gemischte Kräuter
- 200 g Pizzakäse
- 1/2 TL gemahlener Kreuzkümmel
- Salz, Cayennepfeffer

Zubereitungszeit 160 Minuten

❶ Den Weizen mit der Brühe aufkochen und zugedeckt bei schwacher Hitze 60 Minuten garen. Von der Kochstelle nehmen und nochmals 60 Minuten quellen lassen.

❷ Eier mit Kräutern und Käse verrühren, mit Kreuzkümmel, Salz und Cayennepfeffer würzen.

❸ Den Weizen damit mischen und in eine flache Gratinform geben. Das Gratin in den kalten Backofen (mittlere Schiene) schieben und bei 200 °C (Umluft 180 °C, Gas Stufe 3) etwa 30 Minuten backen, bis es schön gebräunt und knusprig ist. Dazu passt: Tomatensalat.

► **Pro Portion**

1516/363 kJ/kcal • 20 g Eiweiß
15 g Fett • 31 g Kohlenhydrate
6 g Ballaststoffe • 143 mg Cholesterin

TIP

Pizzakäse aus dem Supermarkt ist fertig gerieben. Den milden Käse kann man in Aufläufe mischen und zum Überbacken nehmen. Heiß zieht er Fäden wie italienischer Mozzarella.

Kartoffelpizza

Für 4 Portionen

Teig:
- 1 kg Kartoffeln (mehlige Sorte)
- 100 g Weizenvollkornmehl
- 1 Ei, 2 EL Joghurt
- 1 EL Olivenöl
- Salz, frisch gemahlener Pfeffer
- Fett für das Blech

Belag:
- 100 g geröstete Paprikaschoten in Öl (Glas)
- 2 Knoblauchzehen
- 2 rote Zwiebeln
- 1 EL getrockneter Oregano
- 3 EL Öl der Schoten
- 1 große Dose geschälte Tomaten
- 1/2 TL Zucker
- Salz, frisch gemahlener Pfeffer
- 1 Bund Petersilie
- 100 g Austernpilze
- 100 g Parmesan
- 10 schwarze Oliven
- 250 g Mozzarella

Zubereitungszeit 100 Minuten

❶ Kartoffeln ungeschält weich kochen, kalt abschrecken und schälen. Zweimal durch die Kartoffelpresse drücken. Mit Mehl, Ei, Joghurt, Öl und je einer kräftigen Prise Salz und Pfeffer zu einem Teig vermischen. Kartoffelteig auf einem gefetteten Backblech ausrollen und rundherum einen fingerbreiten Rand hochdrücken.

❷ Während die Kartoffeln kochen, den Belag zubereiten: Die Paprikaschoten in Streifen schneiden. Knoblauch und eine halbe Zwiebel fein hacken und mit dem Oregano in 1 Esslöffel Öl glasig dünsten. Tomaten mit dem Saft zugeben und zerdrücken. Bei mittlerer Hitze zu einer dicken Sauce schmoren. Mit Zucker, Salz und Pfeffer kräftig würzen. Petersilie fein hacken und untermischen. Sauce abkühlen lassen.

❸ Pilze grob zerkleinern. Restliche Zwiebeln in dünne Ringe schneiden. Beide Zutaten im restlichen Öl bei mittlerer Hitze halb weich schmoren. Mit Salz und Pfeffer würzen. Parmesan reiben.

❹ Den Kartoffelteig mit der Tomatensauce bestreichen und mit dem Parmesan bestreuen. Pilze, Paprikastreifen und Oliven darauf verteilen. Zum Schluss den abgetropften Mozzarella in dünne Scheiben schneiden und auf die Pizza legen.

❺ Die Pizza in den kalten Backofen (mittlere Schiene) schieben und bei 200 °C (Umluft 180 °C, Gas Stufe 3) etwa 40 Minuten backen.

► **Pro Portion**
3250/777 kJ/kcal • 34 g Eiweiß
36 g Fett • 68 g Kohlenhydrate
13 g Ballaststoffe • 105 mg Cholesterin

TIP

Geröstete Paprikaschoten gibt es wie getrocknete Tomaten in nativem Olivenöl eingelegt. Die Schoten sind mit Knoblauch, Zitronensaft und Meersalz gewürzt.

In mundgerechte Häppchen geteilt, schmeckt diese Pizza auch wunderbar zum Aperitif.

Gefüllte Champignons

Für 2 Portionen
- 500 g große Champignons
- Saft von 1/2 Zitrone
- Fett für die Form
- Salz
- frisch gemahlener Pfeffer
- 1 Bund Petersilie
- 3 Knoblauchzehen
- 1 Fleischtomate
- 50 g Parmesan
- 1 EL Semmelbrösel

Champignons wachsen in Pilzfarmen auf organischem Substrat, sind frei von Schwermetallen und Strahlenbelastung. Bei Züchtung der Pilze auf einem Kompost aus Stroh und Pferdemist kann auch der Einsatz von Schädlingsbekämpfungsmitteln auf ein Minimum reduziert werden - Pilzkenner wissen, dass der wilde Wiesenchampignon am ergiebigsten auf Pferdeweiden wächst.

Zubereitungszeit 50 Minuten

❶ Die Pilze mit einem feuchten Tuch abwischen oder waschen. Stiele ausschneiden und beiseite legen. Die Pilzhüte mit Zitronensaft beträufeln und mit der Höhlung nach oben in eine flache, gefettete Gratinform setzen. Mit Salz und Pfeffer würzen.

❷ Pilzstiele und Petersilie fein hacken. Knoblauch mit Salz zerdrücken. Tomate abziehen und fein würfeln. Den Käse reiben. Alle diese Zutaten mit den Semmelbröseln mischen und in die Pilzhüte geben.

❸ Pilze in den kalten Backofen schieben und bei 200 °C (Umluft 180 °C, Gas Stufe 3) etwa 30 Minuten backen. Dazu passt: Weißbrot oder Pellkartoffeln und Tzatziki.

► Pro Portion
1070/256 kJ/kcal • 19 g Eiweiß
12 g Fett • 14 g Kohlenhydrate
9 g Ballaststoffe • 14 mg Cholesterin

Morchelsoufflé

Für 4 Portionen

1 Päckchen getrocknete Spitzmorcheln
400 ml Milch
1 Schalotte
1 Knoblauchzehe
40 g Butter oder Pflanzenmargarine
40 g Mehl
Salz, Cayennepfeffer
4 Eier
2 Eiweiß
Fett für die Form

Zubereitungszeit 75 Minuten

❶ Die Morcheln in der Milch 15 Minuten einweichen. Mit einem Schaumlöffel herausnehmen und auf einem Sieb kurz kalt abspülen. Die Milch so vorsichtig in ein anderes Gefäß abgießen, dass der aus den Pilzen gelöste Sand zurückbleibt.

❷ Die Morcheln fein zerkleinern, die Schalotte und den Knoblauch fein hacken. Das Fett in einem Topf schmelzen, die Schalotte und den Knoblauch darin bei schwacher Hitze glasig dünsten. Morcheln und Mehl zugeben und unter Rühren hellgelb anrösten. Die Milch langsam zugießen, unter Rühren aufkochen und zugedeckt bei schwächster Hitze 5 Minuten garen. Die Sauce mit Salz und Cayennepfeffer würzen und abkühlen lassen.

❸ Eier trennen, Eigelb nacheinander in die Sauce rühren. Alle Eiweiße steif schlagen. Ein Viertel davon unter die Eigelbcreme rühren. Den Rest mit einem Spatel unterziehen.

❹ Den Teig in eine gefettete hohe Auflaufform geben, in den kalten Backofen (mittlere Schiene) stellen und bei 175° C (Umluft 160 °C, Gas Stufe 2) etwa 45 Minuten backen, bis das Soufflé hoch aufgegangen, an der Oberfläche eingerissen und leicht gebräunt ist. Dazu passen: grüner Salat mit Kräutern und Knoblauchvinaigrette.

► **Pro Portion**

1644/393 kJ/kcal • 18 g Eiweiß
23 g Fett • 24 g Kohlenhydrate
8 g Ballaststoffe • 285 mg Cholesterin

Morcheln sind nach Trüffeln die teuersten Pilze. Im späten Frühling und Frühsommer bekommt man sie frisch bei manchen Gemüsehändlern zu kaufen. Getrocknet gibt es sie das ganze Jahr über. Die Trockenpilze sind besonders aromatisch und sehr ergiebig: Für das Soufflé reichen etwa 20 Gramm davon.

Überbackene Grünkernklößchen mit Pilzen

Wegen der vielen Vitamine und Mineralstoffe ist Kresse ideal für die gemüse- und kräuterarme Winterzeit. Früher hat man das Vitamin-C-reiche Kraut als Mittel gegen Skorbut gegessen. Der hohe Eisengehalt regt die Blutbildung an und macht munter. Ihre scharfen Senföle wirken gegen Pilzinfektionen im Körper, ihre Bitterstoffe regen den Gallenfluss an und helfen so bei der Verdauung.

Für 6 Portionen

2 Zwiebeln
4 EL Öl
250 g Grünkernschrot
1/2 l Wasser
1/2 Bund Petersilie
1 Knoblauchzehe
600 g Austernpilze
Salz
2 Eier
150 g Mehl
frisch gemahlener Pfeffer
geriebene Muskatnuss
200 g Sahne
1/8 l Gemüsebrühe
200 g Gorgonzola oder Roquefort
1 Kästchen Kresse

Zubereitungszeit 120 Minuten

❶ 1 Zwiebel fein hacken und in 1/2 Esslöffel Öl bei schwacher Hitze glasig dünsten. Schrot unter Rühren kurz mitrösten. Wasser zugießen, aufkochen und Schrot zugedeckt bei schwacher Hitze 10 Minuten garen. Den Topf beiseite stellen, den Brei 60 Minuten quellen und dabei abkühlen lassen.

❷ Petersilie waschen und fein hacken. Die zweite Zwiebel und Knoblauch getrennt fein zerkleinern. Pilzhüte in Streifen schneiden. Reichlich Salzwasser aufkochen.

Die Kresse sieht nicht nur hübsch aus, sie ist auch noch ausgesprochen gesund.

❸ Grünkernbrei mit der Hälfte der Petersilie, Eiern, Mehl, Salz und je einer kräftigen Prise Pfeffer und Muskatnuss mischen. Vom Teig mit einem Esslöffel etwa 30 Frikadellen abstechen und im sprudelnd kochenden Wasser einmal aufkochen. Im offenen Topf 5 Minuten ziehen lassen. Anschließend mit einem Schaumlöffel herausnehmen und nebeneinander in eine flache Gratinform legen. Backofen auf 220 °C (Umluft 200 °C, Gas Stufe 4) vorheizen.

❹ Den Rest des Öls erhitzen, die Pilze darin bei starker Hitze kräftig rösten. Restliche Petersilie, Zwiebel und Knoblauch unterrühren und kurz mitrösten. Sahne und Brühe zugießen und einmal aufkochen. Mit Salz und Pfeffer würzen und die Mischung über die Klößchen verteilen. Käse zerkrümeln und darüber streuen.

❺ Die Klößchen in den heißen Backofen (mittlere Schiene) schieben und etwa 20 Minuten backen. Die Kresse mit einer Küchenschere abschneiden und zum Servieren über die Klößchen streuen.

► **Pro Portion**
2507/599 kJ/kcal • 21 g Eiweiß
32 g Fett • 50 g Kohlenhydrate
9 g Ballaststoffe • 150 mg Cholesterin

Die Gastlichen

Gemüsepirogge

Für 6 Portionen

Teig:

- 500 g Mehl
- 1 Päckchen Trockenhefe
- 50 g weiche Butter oder Pflanzenmargarine
- 1/4 l lauwarme Milch
- Salz

Füllung:

- 1 kleiner Kopf Weißkohl (500 g)
- 1 mittelgroßer Kohlrabi
- 2 kleine Kartoffeln
- 1 Zwiebel
- 1 EL Sonnenblumenöl
- 2 Eier
- 2 EL Semmelbrösel
- 2 EL saure Sahne
- Salz
- frisch gemahlener Pfeffer
- Mehl zum Ausrollen
- Fett für das Blech
- 1 Eigelb
- 2 EL Sahne

Zubereitungszeit 180 Minuten

❶ Mehl mit Hefe, Fett, Milch und einer kräftigen Prise Salz vermischen. Mit den Knethaken des Handrührgerätes etwa 5 Minuten rühren, bis der Teig Blasen bildet und sich vom Schüsselrand löst. Zugedeckt bei Zimmertemperatur etwa 60 Minuten ruhen lassen, bis sich das Teigvolumen ungefähr verdoppelt hat.

❷ Für die Füllung Weißkohlblätter in Streifen schneiden, Kohlrabi und Kartoffeln schälen und in kleine Würfel schneiden. Zwiebel abziehen und fein hacken. Alles im heißen Öl schmoren, bis die Flüssigkeit, die sich bildet, wieder verdampft ist. Das Gemüse abkühlen lassen. Eier, Semmelbrösel und saure Sahne untermischen und mit Salz und Pfeffer kräftig abschmecken.

❸ Den Hefeteig in ein größeres und ein kleineres Stück teilen. Jedes Stück auf Mehl zu einer ovalen, einen halben Zentimeter dicken Platte ausrollen. Die kleinere Platte auf ein gefettetes Backblech legen und mit der Füllung belegen.

❹ Die zweite Teigplatte darauf legen und rundherum an den Seiten mit den Zinken einer Gabel fest drücken. Eigelb mit Sahne verrühren, die Pirogge damit bestreichen und zugedeckt 30 Minuten ruhen lassen.

❺ In den kalten Backofen (untere Schiene) schieben und bei 180 °C (Umluft 160 °C, Gas Stufe 2) etwa 60 Minuten backen.

► Pro Portion

2481/593 kJ/kcal • 20 g Eiweiß
20 g Fett • 76 g Kohlenhydrate
14 g Ballaststoffe • 165 mg Cholesterin

Mit Weizenmehl und Milch, Kartoffeln und Ei in einer Mahlzeit bekommen Sie genauso hochwertiges Eiweiß wie mit Fleisch. Und die Gemüsepirogge liefert dazu noch eine Menge gesunder Ballaststoffe.

Hirse mit Käsekruste

Hirse hat mehr Wertvolles zu bieten als die meisten anderen Getreidesorten. Allein der Mineralstoffgehalt ist beachtlich: Fluor hält Zähne und Knochen gesund, Eisen hilft bei der Blutbildung, Magnesium beruhigt die Nerven und Selen schützt die Zellen.

Für 8 Portionen

- 200 g Raclettekäse
- 1/4 l Milch
- 1 große Zwiebel
- 1 Knoblauchzehe
- 4 EL Öl
- 250 g Hirse
- 1/2 l Gemüsebrühe
- 500 g Tomaten
- 100 g Pecorino oder Parmesan
- 1 Bund Basilikum

Zubereitungszeit 90 Minuten

TIP

Zum Vorbereiten den Käse in der Milch einweichen und die Hirse kochen. Beide Zutaten können Sie zugedeckt im Kühlschrank 2 Tage aufbewahren.

❶ Den Käse in kleine Würfel schneiden und mit der Milch mischen. Zugedeckt 60 Minuten im Kühlschrank ziehen lassen.

❷ Zwiebel und Knoblauch hacken und im heißen Öl glasig dünsten. Die Hirse kurz mitschmoren. Die Brühe zugießen und aufkochen. Hirse zugedeckt bei schwacher Hitze 20 Minuten garen.

❸ Den Backofen auf 220 °C (Umluft 200 °C, Gas Stufe 4) vorheizen. Tomaten abziehen und würfeln. Käse reiben, Basilikum hacken. Raclettekäse mit der Milch im warmen Wasserbad unter Rühren schmelzen.

❹ Die Hirse mit Basilikum und Käsecreme mischen, in eine halbhohe Auflaufform geben, mit den Tomatenwürfeln belegen und mit dem Käse bestreuen. In den heißen Ofen (untere Schiene) schieben und 15 Minuten backen.

► Pro Portion

1493/357 kJ/kcal • 17 g Eiweiß
18 g Fett • 27 g Kohlenhydrate
4 g Ballaststoffe
33 mg Cholesterin

Spinatauflauf

Für 8 Portionen

4 Packungen tiefgefrorener Blattspinat (je 300 g)
4 Eier
3 Tomaten
150 g Emmentaler
1 große Zwiebel
1 Knoblauchzehe
60 g Butter oder Pflanzenmargarine
50 g Mehl
1/4 l Gemüsebrühe
1/4 l Milch
125 g Sahne
Salz, frisch gemahlener Pfeffer
geriebene Muskatnuss
Fett für die Form

Zubereitungszeit 90 Minuten

❶ Den Spinat auftauen und auf einem Sieb abtropfen lassen. Eier in 8–10 Minuten hart kochen, kalt abschrecken, schälen und halbieren. Eigelb herauslösen, in eine Schüssel geben und zerdrücken. Die Eiweißhälften zum Füllen beiseite legen. Die Tomaten abziehen und in Scheiben schneiden, den Emmentaler reiben.

❷ Backofen auf 200 °C (Umluft 180°, Gas Stufe 3) vorheizen. Zwiebel und Knoblauch hacken und im heißen Fett bei schwacher Hitze glasig dünsten. Mehl darüber streuen und hellgelb anrösten. Brühe zugießen und rühren, bis die Sauce glatt ist. Milch unterrühren, die Sauce aufkochen und zugedeckt bei schwacher Hitze 5 Minuten kochen.

❸ Den Topf von der Kochstelle nehmen. Die Sauce mit der Sahne mischen, mit Salz, Pfeffer und Muskat kräftig würzen.

❹ Eigelb mit 2–3 Esslöffel Sauce und 1 Esslöffel Käse zu einer dicken Paste verrühren. Den Rest der Sauce mit 3 weiteren Esslöffeln Käse und dem Spinat vermischen. Diese Mischung in eine gefettete, flache Gratinform geben. Mit einem Löffelrücken acht Mulden für die Eihälften in den Spinat drücken.

❺ Die Eiweißhälften in die Mulden legen und mit der Eigelbcreme füllen. Tomatenscheiben auf den Spinat legen und alles mit dem restlichen Käse bestreuen.

❻ Den Auflauf in den heißen Ofen (mittlere Schiene) schieben und etwa 20 Minuten backen, bis der Käse zerlaufen und schön gebräunt ist.

► **Pro Portion**
1396/334 kJ/kcal • 17 g Eiweiß
23 g Fett • 10 g Kohlenhydrate
5 g Ballaststoffe • 176 mg Cholesterin

Bei so viel Spinat müssen Sie etwa 2 Stunden Zeit zum Auftauen einplanen: Die Spinatblöcke aus der Verpackung nehmen und auf einem großen Sieb bei Zimmertemperatur auftauen lassen.

TIP

Der Auflauf schmeckt auch mit Grünkohl, Rahmwirsing oder Rahmporree aus der Tiefkühltruhe.

Gemüse-Tofu-Pie

Tofu muss man zubereiten: zum Beispiel braten, in Brühen erhitzen, mit Gemüse im Wok garen oder frittieren. So macht man es auch in den »Tofuländern« Ostasiens, wo der eiweißreiche und cholesterinfreie Sojaquark vor etwa 2000 Jahren erfunden worden ist. Roher, kalter Tofu, wie Käse gewürfelt über einen Salat gestreut, ist für Chinesen und Japaner, die aus Tofu Delikatessen zu machen verstehen, eine kulinarische Unsitte.

Für 6 Portionen

Teig:
300 g Mehl, 1 TL Backpulver
Salz, 5 EL Olivenöl
80 ml kaltes Wasser

Füllung:
400 g fest kochende Kartoffeln
100 g Champignons
1 Zwiebel, 200 g Tofu
5 EL Oliven- oder Erdnussöl
1 Paket tiefgefrorene Dicke oder grüne Bohnen (300 g)
2 EL Gemüsebrühe
Salz, Cayennepfeffer
1 Bund Petersilie
1/2 unbehandelte Zitrone
Mehl für die Arbeitsfläche
2 EL Sahne

Zubereitungszeit 110 Minuten

❶ Für den Teig das Mehl mit Backpulver und Salz mischen. Das Öl und das Wasser zugeben und mit dem Knethaken des Handrührers vermischen. Mit den Händen etwa 10 Minuten durchkneten, bis der Teig glatt und geschmeidig ist. Zugedeckt bei Zimmertemperatur 60 Minuten ruhen lassen.

❷ Inzwischen für die Füllung die Kartoffeln schälen, waschen und klein würfeln. Die Pilze putzen und in Scheiben schneiden. Zwiebel hacken, Tofu trockentupfen.

Dazu passt ein Chutney – die bekannte indische Sauce aus Früchten und/oder Gemüse.

❸ Das Öl in einer großen Pfanne erhitzen. Tofu darin bei mittlerer Hitze rundherum etwa 5 Minuten braten, bis er eine braune Kruste hat. Herausnehmen und abkühlen lassen. Pilze und Zwiebel im Bratöl bei mittlerer Hitze unter Rühren anbraten. Kartoffeln und Bohnen zugeben und ebenfalls anbraten. Brühe zugeben, mit Salz und Cayennepfeffer würzen und zugedeckt bei schwacher Hitze 10 Minuten garen.

❹ Tofu in kleine Würfel schneiden. Petersilie hacken, Zitronenschale dünn abschneiden und fein zerkleinern. Den Saft auspressen. Alles mit der Kartoffelmischung verrühren und in eine Pieform geben.

❺ Den Teig auf Mehl etwas größer als die Form ausrollen. In die Mitte ein Loch stechen. Die Teigplatte leicht überlappend auf die Form legen. Mit der Sahne bestreichen.

❻ Die Pie in den kalten Backofen (untere Schiene) stellen und bei 200 °C (Umluft 180 °C, Gas Stufe 3) etwa 35 Minuten backen, dabei die ersten 10 Minuten mit Alufolie abdecken.

► Pro Portion

1872/448 kJ/kcal • 11 g Eiweiß
21 g Fett • 48 g Kohlenhydrate
9 g Ballaststoffe • 5 mg Cholesterin

Herzhafter Maiskuchen

Pfeffer ist eines der besten Gewürze: Piperin, die scharfe Substanz darin, treibt den Schweiß, senkt das Fieber und wirkt gegen Entzündungen. Deshalb hilft ein Glas heiße Milch mit Honig und Pfeffer bei Erkältungen. Beim Essen regt Piperin den Speichelfluss an, was bei kohlenhydratreicher Kost von Vorteil ist, denn die Verdauung von Kohlenhydraten beginnt bereits im Mund. Nach dem Essen entlastet es den Kreislauf.

Für 6 Portionen

- 300 g Mehl
- 4 EL Maismehl (Polenta)
- Salz, frisch gemahlener Pfeffer
- 1 TL gemahlener Koriander
- 300 ml Milch
- 6 Eier
- 2 kleine Dosen Zuckermais
- 2 Päckchen tiefgefrorene italienische Kräuter
- 1 EL Butter oder Pflanzenmargarine

Zubereitungszeit 50 Minuten

❶ Den Backofen auf 220 °C (Umluft 200 °C, Gas Stufe 4) vorheizen.

❷ Mehl mit Maismehl, Salz, Pfeffer und Koriander mischen. Milch zugießen und rühren, bis der Teig glatt ist.

❸ Zuerst die Eier, dann den abgetropften Mais und die Kräuter untermischen. In eine gefettete, flache Gratinform geben und mit dem Fett in Stückchen belegen.

❹ Im heißen Backofen (mittlere Schiene) etwa 25 Minuten goldbraun backen.

► Pro Portion

1646/394 kJ/kcal • 17 g Eiweiß
12 g Fett • 47 g Kohlenhydrate
7 g Ballaststoffe • 246 mg Cholesterin

Auberginen mit Pilzen

Für 8 Portionen

- 8 kleine Auberginen
- 600 g Austernpilze
- 500 g Zwiebeln
- 4 Knoblauchzehen
- 2 Bund Grüne-Sauce-Kräuter
- 1/8 l Olivenöl, 3 Eier
- 75 g Semmelbrösel
- Salz, frisch gemahlener Pfeffer

Zubereitungszeit 90 Minuten

❶ Die gewaschenen Auberginen längs halbieren und mit einem Löffel das Innere herauslösen, dabei einen etwa ein Zentimeter breiten Rand stehen lassen. Das ausgelöste Auberginenfleisch, Pilze, Zwiebeln, Knoblauch und Kräuter fein hacken. Zwiebeln und Knoblauch in 6 Esslöffeln heißem Öl andünsten. Auberginenfleisch und Pilze zufügen und dünsten, bis die Flüssigkeit verdampft ist.

❷ In einer Schüssel abkühlen lassen. Eier, Kräuter und Semmelbrösel zugeben, mit Salz und Pfeffer würzen und in die Auberginenhälften füllen.

❸ Auberginen auf ein gefettetes Backblech setzen und mit dem restlichen Öl beträufeln. In den kalten Backofen (mittlere Schiene) schieben und bei 180 °C (Umluft 160 °C, Gas Stufe 2) etwa 45 Minuten backen.

► **Pro Portion**
1291/309 kJ/kcal • 10 g Eiweiß
19 g Fett • 21 g Kohlenhydrate
8 g Ballaststoffe • 90 mg Cholesterin

Apfel-Kartoffel-Gratin

Für 12 Portionen

- 1 kg säuerliche Äpfel (Boskop, Gravensteiner oder Glockenapfel)
- Saft von 1 Zitrone
- 2 TL Zimtpulver
- 2 EL Butter oder Pflanzenmargarine
- 2 kg Kartoffeln
- Salz, frisch gemahlener Pfeffer
- 1/2 l Milch
- 500 g Sahne
- 150 g Emmentaler

Zubereitungszeit 105 Minuten

❶ Äpfel vierteln, schälen, vom Kerngehäuse befreien und in Stücke schneiden. Mit Zitronensaft, Zimt und Fett in einem Topf mischen und bei mittlerer bis schwacher Hitze 10 Minuten schmoren. In der Fettpfanne des Backofens verteilen.

❷ Kartoffeln schälen, waschen und in dünne Scheiben hobeln. Schuppenförmig auf die Äpfel legen, mit Salz und Pfeffer würzen. Milch und Sahne mischen und darüber gießen. Emmentaler reiben und das Gratin damit bestreuen.

❸ Das Gratin in den kalten Backofen (mittlere Schiene) stellen und bei 180 °C (Umluft 160 °C, Gas Stufe 2) etwa 50 Minuten backen, bis die Kartoffeln weich und schön gebräunt sind.
Dazu passt: gemischter Salat.

► **Pro Portion**
1723/412 kJ/kcal • 10 g Eiweiß
21 g Fett • 41 g Kohlenhydrate
6 g Ballaststoffe
68 mg Cholesterin

Äpfel senken das schädliche LDL-Cholesterin im Blut. Dabei könnte ihr hoher Vitamin-C-Gehalt eine Rolle spielen, doch die Untersuchungen dazu laufen noch. Sicher ist, dass Apfel-Pektin den Cholesterinspiegel senkt. Dieser Ballaststoff erhält den Darm gesund und heilt sogar Beschwerden – ein mit der Schale geriebener Apfel ist eines der wirksamsten Mittel gegen Durchfall.

Okragratin mit Reis

Okraschoten enthalten ziemlich viele Ballaststoffe, darunter eine Menge magenfreundlicher Schleimstoffe. Im Gegensatz zu den Bohnen können Sie die Schoten auch roh essen.

Für 8 Portionen

- 2 große Zwiebeln
- 2 Knoblauchzehen
- 200 g Okraschoten oder grüne Bohnen
- 4 EL Öl
- 4 EL Tomatenmark
- 2 EL edelsüßes Paprikapulver
- 500 g Kartoffeln (fest kochende Sorte)
- 4 Tomaten
- 4 grüne Paprikaschoten
- 1 kleine Dose rote Bohnen
- 250 g Langkornreis
- Salz
- 1/2 l Gemüsebrühe
- 200 g Gratinkäse
- 1 Bund gemischte Kräuter

Zubereitungszeit 70 Minuten

❶ Die Zwiebeln und den Knoblauch schälen und fein hacken. Okraschoten in ein sauberes Küchentuch geben und vorsichtig rubbeln, um den Flaum zu entfernen. Schoten waschen und abtrocknen. Die Spitze und den harten Stielansatz abschneiden.

❷ Öl erhitzen, Zwiebel, Knoblauch und Okras darin bei mittlerer Hitze 5 Minuten braten. Tomatenmark und Paprikapulver untermischen und den Topf von der Kochstelle nehmen.

Frische Okraschoten bekommen Sie in asiatischen oder türkischen Lebensmittelgeschäften.

❸ Kartoffeln schälen, waschen und würfeln. Tomaten abziehen und würfeln, Paprikaschoten waschen, putzen und in Streifen schneiden. Rote Bohnen abgießen und kalt abspülen.

❹ Alle diese Zutaten mit Okramischung und ungekochtem Reis mischen, mit Salz würzen und in die Fettpfanne des Backofens geben. Brühe an den Seiten zugießen. Käse darüber streuen.

❺ Die Mischung in den kalten Backofen (mittlere Schiene) schieben und bei 200 °C (Umluft 180 °C, Gas Stufe 3) etwa 35 Minuten garen, bis Kartoffeln und Reis schön körnig weich sind. Mit den gehackten Kräutern bestreut servieren.
Dazu passen: Tzatziki und Salat.

► **Pro Portion**
1843/441 kJ/kcal • 18 g Eiweiß
13 g Fett • 56 g Kohlenhydrate
14 g Ballaststoffe • 17 mg Cholesterin

TIP

Frische Kräuter geben Farbe, Geschmack und Vitamine. Zum Okragemüse mit Reis passt eine Mischung aus Basilikum, Bohnenkraut, Minze und Schnittlauch.

Knoblauchkuchen mit Spinat

Winterspinat mit kräftigen dunkelgrünen Blättern können Sie vom Spätherbst bis ins Frühjahr kaufen. Ersatz sind Mangold, Löwenzahn und Rucola. Die zart grünen Blättchen des Sommerspinats eignen sich für den deftigen Kuchen nicht so gut.

Für 6 Portionen oder 10 Stücke

Teig:

- 300 g Mehl
- 1/2 Päckchen Trockenhefe
- 1 TL Salz
- 1 EL getrockneter Oregano
- 200 ml Milch, 1 Ei

Belag:

- 5 Knoblauchknollen
- 200 ml Gemüsebrühe
- 5 EL Olivenöl
- 3 Zweige Rosmarin
- 1 EL Zitronensaft
- Salz, Cayennepfeffer
- 50 große Blätter Winterspinat
- frisch gemahlener Pfeffer
- 4 Tomaten
- 6 Scheiben Fontina (je ca. 1/2 cm dick)
- Fett für das Blech

Zubereitungszeit 120 Minuten

❶ Mehl, Hefe, Salz und Oregano in einer Schüssel mischen. Lauwarme Milch unterrühren. Zimmerwarmes Ei zugeben und alles mit den Knethaken des Handrührgerätes etwa 5 Minuten durchrühren, bis der Teig Blasen bildet. Zugedeckt bei Zimmertemperatur etwa 60 Minuten ruhen lassen, bis sich das Teigvolumen verdoppelt hat.

❷ Die äußeren Blätter der Knoblauchknollen entfernen. Knollen quer halbieren. Mit den Schnittflächen nach oben eng nebeneinander in eine Gratinform setzen. Mit der Brühe übergießen und mit dem Öl beträufeln. Rosmarinnadeln abzupfen und zwischen die Knollen streuen.

❸ Den Knoblauch zugedeckt in den kalten Backofen (mittlere Schiene) schieben. Bei 200 °C (Umluft 180 °C, Gas Stufe 3) in 60 Minuten weich backen. Anschließend mit einer Gabel aus den Häuten streifen, mit Zitronensaft, Salz und Cayennepfeffer mischen.

❹ Während der Knoblauch backt, den Spinat waschen und die Stiele abzupfen. Blätter nacheinander in einem Topf mit sprudelnd kochendem Wasser kurz blanchieren und auf einem Küchentuch ausbreiten. Die Tomaten abziehen und in Scheiben, den Käse in Streifen schneiden.

❺ Teig auf ein gefettetes Backblech streichen, Knoblauchmus darauf verstreichen und mit den Spinatblättern belegen. Auf den Spinat die Tomaten legen und mit Salz und Pfeffer würzen. Die Käsestreifen als Gitter auf den Kuchen legen.

❻ Kuchen zugedeckt bei Zimmertemperatur 10 Minuten gehen lassen. In den Backofen (mittlere Schiene) schieben und bei 200 °C (Umluft 180 °C, Gas Stufe 3) etwa 30 Minuten backen.

► **Pro Portion**
1403/336 kJ/kcal
15 g Eiweiß • 18 g Fett
25 g Kohlenhydrate
5 g Ballaststoffe • 48 mg Cholesterin

Zucchiniquiche

Für 10 Portionen
Teig:
500 g Weizenvollkornmehl
1 Päckchen Trockenhefe
1/2 EL Salz
1/2 l Milch
2 EL Olivenöl
Belag:
1 kg Zucchini
1 große Zwiebel
1 Bund Petersilie
3 Eier
150 g Emmentaler
200 ml Milch
1/2 TL gemahlener Koriander
Salz, Cayennepfeffer
geriebene Muskatnuss
Fett für das Blech
400 g Tomaten

Zubereitungszeit 120 Minuten

❶ Mehl, Hefe und Salz in einer Schüssel vermischen. Lauwarme Milch und Öl zugießen. Alles mit den Knethaken des Handrührgerätes etwa 5 Minuten durchrühren, bis der Teig Blasen bildet. Zugedeckt etwa 60 Minuten gehen lassen, bis sich das Teigvolumen verdoppelt hat.

❷ Zucchini grob raspeln, Zwiebel und Petersilie hacken. Alles mit Eiern, Käse und Milch mischen, mit Koriander, Salz, Cayennepfeffer und einer kräftigen Prise Muskatnuss abschmecken.

❸ Teig auf ein gefettetes Backblech streichen, Belag darauf verteilen. Tomaten abziehen, in Scheiben schneiden und darauf legen.

❹ Die Quiche in den kalten Backofen (mittlere Schiene) schieben und bei 180 °C (Umluft 160 °C, Gas Stufe 2) etwa 45 Minuten backen.

► **Pro Portion**
1586/379 kJ/kcal • 19 g Eiweiß
14 g Fett • 40 g Kohlenhydrate
8 g Ballaststoffe • 94 mg Cholesterin

Für die Versorgung mit Ballaststoffen sind Vollkornmehl und alle Produkte daraus unsere wichtigsten Lebensmittel. Voll ausgemahlenes Getreide enthält eine gesunde Kombination verschiedener Ballaststoffe, die uns satt machen, den Darm pflegen und die Verdauung unterstützen.

Kartoffeltorte

Käse gehört in der vegetarischen Ernährung zu den wichtigen Eiweißspendern. Emmentaler ist ein Käse mit viel Kalzium für gesunde Knochen, aber wenig blutdrucktreibendem Natrium.

Für 10 Portionen

- 2 kg Kartoffeln (mehlige Sorte)
- 1 Packung tiefgefrorene grüne Bohnen (300 g)
- 1 Packung tiefgefrorene Erbsen (300 g)
- 3 große Zwiebeln
- 1 Bund Petersilie
- 4 Zweige Thymian
- 75 g Mehl, 5 Eier
- Salz, frisch gemahlener Pfeffer
- 2 EL Öl
- 16 Scheiben Trappistenkäse oder Emmentaler

Zubereitungszeit 90 Minuten

❶ Kartoffeln mit der Schale knapp weich kochen, kalt abschrecken, etwas abkühlen lassen, schälen und grob reiben. Die Bohnen und Erbsen in wenig Wasser 5 Minuten garen. Abgießen, abtropfen und etwas abkühlen lassen.

❷ Zwiebeln schälen und fein hacken. Petersilie fein hacken und 1 Esslöffel davon für die Käsescheiben auf einem großen Teller beiseite stellen. Thymianblättchen abzupfen und auf den Teller zur Petersilie geben.

Die Kartoffeltorte ist ideal, um eine größere Zahl von Gästen zu bewirten.

❸ Den Rest der Petersilie über die Kartoffeln streuen. Bohnen, Erbsen, Zwiebeln, 50 Gramm Mehl, 4 Eier, Salz und Pfeffer zufügen und alles mischen. Die Fettpfanne des Backofens mit dem Öl fetten, die Kartoffelmasse darin verteilen und mit einem Spatel fest zu einem Kuchen zusammendrücken.

❹ Das restliche Mehl auf einen Teller geben, das fünfte Ei auf einem zweiten Teller verquirlen. Die Käsescheiben zuerst in der Petersilien-Thymian-Mischung, dann im Mehl und zum Schluss im Ei wenden und nebeneinander auf die Kartoffeltorte legen.

❺ Die Torte in den kalten Backofen schieben und bei 200 °C (Umluft 180 °C, Gas Stufe 3) etwa 30 Minuten backen, bis der Käse geschmolzen und gebräunt ist.
Dazu passen: gemischter Salat und dicke Tomatensauce.

► **Pro Portion**
1852/443 kJ/kcal • 20 g Eiweiß
16 g Fett • 48 g Kohlenhydrate
9 g Ballaststoffe • 143 mg Cholesterin

TIP

Kochen Sie Kartoffeln möglichst oft mit der Schale: Vitamin C und Folsäure bleiben dann zu etwa 80% erhalten. Ungeschält gegart enthalten Kartoffeln auch mehr Kalium und Magnesium.

Spaghetti-Gemüse-Auflauf

Für 8 Portionen

- 600 g dünne Spaghetti
- Salz
- 1 EL Öl
- 1 Packung tiefgefrorene grüne Bohnen (300 g)
- 1 Packung tiefgefrorene Erbsen und Karotten (300 g)
- 150 g Parmesan
- 250 g Mozzarella
- 2 Zwiebeln
- 2 Knoblauchzehen
- 1 Dose Pizzatomaten
- 1 Päckchen tiefgefrorene provenzalische Kräuter
- frisch gemahlener Pfeffer

Zubereitungszeit 60 Minuten

❶ Nudeln in Salzwasser 3 Minuten kochen. Auf einem Sieb abtropfen lassen und mit dem Öl vermischen, damit sie nicht zusammenkleben.

❷ Bohnen in wenig kochendem Wasser aufkochen und 2 Minuten garen. Erbsen und Karotten zugeben, erneut aufkochen und weitere 2 Minuten garen. Abgießen, abtropfen lassen und mit den Nudeln in einer Schüssel mischen.

❸ Parmesan reiben, Mozzarella in Würfel schneiden. Zwiebeln und Knoblauch hacken. Alle diese Zutaten, die Pizzatomaten mit der Flüssigkeit und die Kräuter zur Nudelmischung geben. Mit Salz und Pfeffer kräftig würzen und in eine halbhohe Auflaufform geben.

❹ Den Auflauf in den kalten Backofen schieben und bei 200 °C (Umluft 180 °C, Gas Stufe 3) in etwa 30 Minuten goldbraun backen.

► Pro Portion

2049/490 kJ/kcal • 24 g Eiweiß
14 g Fett • 61 g Kohlenhydrate
6 g Ballaststoffe • 61 mg Cholesterin

TIP

Nudeln müssen beim Kochen schwimmen. Auf 100 Gramm rechnet man etwa 1 Liter Salzwasser. Das Wasser muss 1 Minute richtig sprudeln, bevor man die Nudeln zugibt. Sobald sie im Topf sind, einige Male umrühren, damit sie nicht zusammenkleben.

Nudelauflauf mit Kürbis und Käse

Für 8 Portionen

- 500 g kleine Nudeln (Farfalle oder Gabelspaghetti)
- Salz
- 1/8 l Olivenöl
- 1 kg Kürbis
- 2 große Zwiebeln
- 3 Knoblauchzehen
- 1 TL Safranfäden
- Cayennepfeffer
- Saft von 1 Zitrone
- 300 g weicher Schafskäse (Feta)
- 200 g junger Gouda in dünnen Scheiben
- 4 Bund Petersilie

Zubereitungszeit 75 Minuten

❶ Nudeln in Salzwasser gerade eben bissfest kochen. Abgießen, abtropfen lassen und mit 3 Esslöffeln Öl mischen.

❷ Kürbis schälen, putzen und grob raspeln. Zwiebeln und Knoblauch fein zerkleinern.

❸ Das restliche Öl erhitzen. Safran zwischen den Fingern zerkrümeln und zugeben. Zwiebeln, Knoblauch und Kürbis zufügen und bei mittlerer bis schwacher Hitze glasig schmoren. Mit Salz, Cayennepfeffer und Zitronensaft kräftig würzen.

❹ Schafskäse zerkrümeln, Gouda in kleine Würfel schneiden. Die Petersilie fein hacken.

❺ Nudeln, Kürbis, Petersilie und Schafskäse mischen und in die Fettpfanne des Backofens geben. Mit dem Gouda bestreuen. In den kalten Backofen (mittlere Schiene) schieben und bei 180 °C (Umluft 160 °C, Gas Stufe 2) etwa 40 Minuten backen.
Dazu passen: gemischter Salat und dünnflüssiges Tzatziki als Sauce.

► Pro Portion

2532/606 kJ/kcal • 22 g Eiweiß
31 g Fett • 52 g Kohlenhydrate
5 g Ballaststoffe
84 mg Cholesterin

Meersalz und jodiertes Speisesalz am besten aus der Kartonverpackung in ein gut schließenden Glas geben. Dann ist der Jodverlust beim Lagern relativ gering.

Die Schnellen

Überbackene Muschelnudeln

Für 4 Portionen

- 1 Packung tiefgefrorene Erbsen (300 g)
- 8 große Muschelnudeln zum Füllen und Überbacken (Conchiglione)
- Salz
- 1 Dose Pizzatomaten
- 3 EL Öl
- 200 g Gratinkäse
- 1 Ei
- 2 EL Crème fraîche
- 1 EL tiefgefrorene italienische Kräuter
- frisch gemahlener Pfeffer
- geriebene Muskatnuss

Zubereitungszeit 40 Minuten

1. Die Erbsen auf einem Sieb antauen lassen, während die Nudeln garen. Muschelnudeln in reichlich Salzwasser 2 Minuten kürzer als die angegebene Kochzeit garen. Abgießen und abtropfen lassen. Den Backofen auf 220 °C (Umluft 200 °C, Gas Stufe 4) vorheizen.

2. Die Hälfte der Pizzatomaten in eine flache Gratinform geben. Muschelnudeln mit den Öffnungen nach oben auf das »Bett« aus Tomaten setzen und mit dem Öl ausstreichen.

3. Restliche Tomaten mit Erbsen, der halben Menge Gratinkäse, Ei, Crème fraîche und Kräutern mischen, mit Salz, Pfeffer und Muskat würzen und in die Nudeln füllen. Den restlichen Käse darüber streuen.

4. Die Nudeln in den heißen Backofen (mittlere Schiene) stellen und 15 Minuten überbacken, bis der Käse geschmolzen ist.

Pro Portion

2507/599 kJ/kcal • 27 g Eiweiß
27 g Fett • 57 g Kohlenhydrate
7 g Ballaststoffe • 143 mg Cholesterin

TIP

Die großen Nudeln zum Füllen bekommen Sie meist nur in Mittelmeerläden und italienischen Feinkostgeschäften.

Die Muschelnudeln zum Füllen vorkochen, aber wie Cannelloni nicht ganz weich garen. Auf einem »Bett« von saftigen Tomaten werden sie dann im Ofen fertig gebacken und bleiben »al dente«.

Blumenkohlgratin

Für 4 Portionen

- 1 großer Blumenkohl
- Salz
- frisch gemahlener Pfeffer
- 2 EL Zitronensaft
- 50 g Butter oder Pflanzenmargarine
- 100 g Parmesan
- 2 Eier
- 1/8 l Milch
- 100 g Sahne
- 50 g Semmelbrösel

Blumenkohl ist ein Gemüse mit viel Vitamin C, Kalzium und Ballaststoffen. Die grünen Köpfe sind wie Brokkoli reich an Beta-Karotin und enthalten Wirkstoffe, die vor Krebs erregenden Substanzen schützen. Wirklich gut und aromatisch schmeckt er nur frisch; Köpfe, die beim Kochen oder sogar schon roh nach Kohl riechen, sind überlagert.

Zubereitungszeit 50 Minuten

❶ Blumenkohl putzen, waschen und in Röschen teilen. Stiele und Strunk würfeln. Röschen und Stiele in reichlich kochendem Wasser 2–3 Minuten sprudelnd kochen. Abgießen, abtropfen lassen und in eine flache Gratinform geben. Mit Salz und Pfeffer würzen, mit dem Zitronensaft beträufeln.

❷ Fett zerlassen und wieder lauwarm abkühlen lassen. Käse fein reiben. Eier mit Milch und Sahne verquirlen.

❸ Fett, Eiermilch und Käse verrühren und über den Blumenkohl gießen. Semmelbrösel darüber streuen.

❹ Das Gratin in den kalten Backofen (mittlere Schiene) stellen und bei 200 °C (Umluft 180 °C, Gas Stufe 3) etwa 20 Minuten backen, bis es oben schön gebräunt ist.

► Pro Portion

1854/444 kJ/kcal • 22 g Eiweiß
29 g Fett • 18 g Kohlenhydrate
7 g Ballaststoffe • 194 mg Cholesterin

Kartoffelauflauf mit Gemüse

Für 4 Portionen

- 2 Packungen Kartoffelpüree (320 g)
- 1/8 l Gemüsebrühe
- 1/8 l Milch
- 1 Packung tiefgefrorene Erbsen und Karotten
- 1 Dose Pizzatomaten
- 200 g Pizzakäse
- 1 Ei
- Salz, frisch gemahlener Pfeffer
- 2 EL Butter oder Pflanzenmargarine

Zubereitungszeit 50 Minuten

❶ Kartoffelpüree nach Packungsaufschrift mit Brühe und Milch zubereiten. Erbsen und Karotten unter das heiße Püree mischen.

❷ Die Pizzatomaten, die Hälfte der Käsemenge, Ei, Salz und Pfeffer zum Püree geben und alles locker mit einer Gabel vermischen.
In eine gefettete, halbhohe Auflaufform füllen und glattstreichen. Den Auflauf mit dem restlichen Käse bestreuen und mit den Fettflöckchen belegen.

❸ Den Auflauf in den kalten Backofen (mittlere Schiene) schieben und bei 200 °C (Umluft 180 °C, Gas Stufe 3) etwa 25 Minuten backen.

► **Pro Portion**
1267/303 kJ/kcal • 15 g Eiweiß
21 g Fett • 9 g Kohlenhydrate
4 g Ballaststoffe • 109 mg Cholesterin

Bohnen-Mais-Auflauf

Für 4 Portionen

- 1 Packung tiefgefrorene grüne Bohnen (300 g)
- 1 kleine Dose Zuckermais
- 1 mittelgroße Zwiebel
- 1 Knoblauchzehe
- 100 g würziger Edelpilzkäse
- 2 Eier
- 200 g körniger Frischkäse
- 3 EL Weizenvollkornmehl
- 1/4 l Milch

Zubereitungszeit 50 Minuten

❶ Bohnen und Mais auf ein Sieb geben, bis alle anderen Zutaten vorbereitet sind. Zwiebel und Knoblauch fein zerkleinern. Käse fein zerkrümeln. Alles locker mit Bohnen und Mais mischen und in eine flache Gratinform geben.

❷ Eier, Frischkäse, Mehl und Milch in einer Schüssel kräftig mischen und über das Gemüse in der Form gießen.

❸ Den Auflauf in den kalten Backofen (mittlere Schiene) schieben und bei 180 °C (Umluft 160 °C, Gas Stufe 2) etwa 40 Minuten backen, bis er oben schön gebräunt ist.
Dazu passen: Pellkartoffeln oder Brot und Tomatensalat.

► **Pro Portion**
1509/361 kJ/kcal • 22 g Eiweiß
19 g Fett • 21 g Kohlenhydrate
6 g Ballaststoffe
161 mg Cholesterin

Würziger Blauschimmelkäse gibt Geschmack und hilft zusätzliches Salz sparen. Zusammen mit dem mageren Frischkäse liefert er reichlich Kalzium. Die Schimmelrinde von Käse wie Bavariablu oder Bleu de Bresse schneidet man ab, weil sie durchs Überbacken bitter schmeckt.

TIP

Das Gratin schmeckt mit Balkan-, Butter- oder Pfannengemüse aus dem Tiefkühlsortiment. Wenn Sie keine Gnocchi bekommen, nehmen Sie Kartoffelnudeln (Schupfnudeln) aus der Kühltheke.

Gnocchigratin mit Knoblauchgemüse

Für 4 Portionen

- 2 Packungen tiefgefrorenes Gemüse (600 g)
- 1 Packung frische Gnocchi (500 g)
- 50 g Pecorino
- 250 g Mozzarella
- 4 Knoblauchzehen
- Salz
- frisch gemahlener schwarzer Pfeffer

Zubereitungszeit 40 Minuten

❶ Gemüse auf einem Sieb antauen lassen. Backofen auf 200 °C (Umluft 180 °C, Gas Stufe 3) vorheizen.

❷ Gnocchi nach Packungsaufschrift garen; dabei die angegebene Kochzeit um 2 Minuten verkürzen. Pecorino reiben, Mozzarella in dünne Scheiben schneiden.

❸ Gemüse, Gnocchi und zerdrückten Knoblauch in eine Gratinform geben, mit Salz und Pfeffer würzen. Pecorino und Mozzarella darauf verteilen. Gratin in den Ofen (mittlere Schiene) stellen und in etwa 20 Minuten goldbraun überbacken. Dazu passt: gemischter Salat

▶ **Pro Portion**

2057/492 kJ/kcal • 32 g Eiweiß
19 g Fett • 43 g Kohlenhydrate
13 g Ballaststoffe • 96 mg Cholesterin

Kartoffelauflauf

Für 3 Portionen

- 1 Packung Kartoffelpüree (160 g)
- 170 ml Gemüsebrühe
- Salz, frisch gemahlener Pfeffer
- 1 Knoblauchzehe
- Fett für die Form
- 200 g Crème fraîche
- 200 g Gratinkäse
- 1 Glas Ratatouille (ca. 425 g)
- 8 schwarze Oliven
- 1 EL tiefgefrorene provenzalische Kräuter

Zubereitungszeit 45 Minuten

❶ Kartoffelpüree mit Brühe kochen, mit Salz, Pfeffer und zerdrücktem Knoblauch würzen. In eine gefettete Auflaufform füllen. Crème fraîche mit einem Drittel des Käses, Pfeffer und Salz verrühren und darüber verteilen.

❷ Ratatouille auf das Püree geben. Oliven, Kräuter und restlichen Käse darauf verteilen.

❸ Den Auflauf in den kalten Backofen (untere Schiene) schieben und bei 200 °C (Umluft 180 °C, Gas Stufe 3) etwa 30 Minuten backen.

▶ **Pro Portion**

2871/687 kJ/kcal • 23 g Eiweiß
50 g Fett • 28 g Kohlenhydrate
7 g Ballaststoffe • 69 mg Cholesterin

Ob Provence oder Italien – auf jeden Fall machen diese Gerichte Lust auf Urlaub.

Frühlingsgratin

Viel frisches Gemüse, Vollkornbrot und Milchprodukte vertreiben die Frühjahrsmüdigkeit: Ballaststoffreiche Erbsenschoten und Brotwürfel bringen die Verdauung auf Trab, kaliumreicher Spargel entwässert, Käse und Crème fraîche liefern Eiweiß und Fett zum Sattwerden. Und wenn Sie neue Kartoffeln dazu essen, bekommen Sie außer Genuss noch Vitamin C.

Für 2 Portionen

300 g Zuckerschoten
300 g grüner Spargel
2 Scheiben kerniges Vollkornbrot
1 EL Öl
100 g Crème fraîche
1 Päckchen tiefgefrorene gemischte Kräuter
Salz, frisch gemahlener Pfeffer
200 g Gratinkäse

Zubereitungszeit 35 Minuten

❶ Backofen auf 220 °C (Umluft 200 °C, Gas Stufe 4) vorheizen. Zuckerschoten und Spargel waschen und putzen. Spargel in Stücke schneiden. Gemüse in reichlich sprudelnd kochendem Wasser 2 Minuten garen. Abgießen, kalt abspülen und abtropfen lassen.

❷ Brot würfeln und im heißen Öl rundherum knusprig braten. Mit dem Gemüse mischen und in eine flache Gratinform geben. Crème fraîche und Kräuter mischen, mit Salz und Pfeffer würzen und über dem Gemüse verteilen. Mit dem Käse bestreuen.

❸ Das Gemüse in den heißen Backofen (mittlere Schiene) stellen und 15 bis 20 Minuten backen. Dazu passen: neue Kartoffeln.

► **Pro Portion**

3376/808 kJ/kcal • 38 g Eiweiß
47 g Fett • 49 g Kohlenhydrate
12 g Ballaststoffe • 84 mg Cholesterin

Gratinierte Gemüsekartoffeln

Für 4 Portionen

100 g Austernpilze
1 grüne Paprikaschote
1 mittelgroße rote Zwiebel
2 kleine Zucchini
400 g gekochte Kartoffeln
200 g körniger Frischkäse
3 EL saure Sahne
Salz, frisch gemahlener Pfeffer
1 Päckchen tiefgefrorene provenzalische Kräuter
75 g Emmentaler, 1 EL Öl

Zubereitungszeit 50 Minuten

❶ Austernpilze, geputzte Paprikaschote, Zwiebel und Zucchini fein zerkleinern. Kartoffeln schälen und in kleine Würfel schneiden.

❷ Alles mit Frischkäse und saurer Sahne mischen, mit Salz, Pfeffer und Kräutern würzen.

❸ Die Mischung in eine flache Auflaufform füllen. Den Emmentaler reiben und über die Auflaufmischung streuen. Das Öl darüber träufeln.

❹ Das Gratin in den kalten Backofen (untere Schiene) stellen und bei 180 °C (Umluft 160 °C, Gas Stufe 2) etwa 30 Minuten backen.
Dazu passen: Knoblauchjoghurt und Weißbrot.

► **Pro Portion**
1405/336 kJ/kcal • 17 g Eiweiß
16 g Fett • 26 g Kohlenhydrate
6 g Ballaststoffe • 40 mg Cholesterin

Tortellinigratin mit Tomaten

Für 4 Portionen

- 250 g Tortellini mit Gemüsefüllung
- Salz, 1/8 l Milch
- 125 g Sahne
- 2 große Fleischtomaten
- frisch gemahlener Pfeffer
- 100 g mittelalter Gouda
- 50 g Pecorino

Zubereitungszeit 50 Minuten

❶ Tortellini in reichlich sprudelnd kochendem Salzwasser 7 Minuten garen. Abgießen und abtropfen lassen. In eine flache Gratinform geben. Milch und Sahne mischen und darüber gießen.

❷ Tomaten abziehen, in Scheiben schneiden und auf die Tortellini legen. Mit Salz und Pfeffer würzen. Beide Käsesorten reiben, mischen und auf die Tomaten streuen.

❸ Das Gratin in den kalten Backofen (mittlere Schiene) stellen und bei 200 °C (Umluft 180 °C, Gas Stufe 3) etwa 30 Minuten backen.

► **Pro Portion**
1841/440 kJ/kcal • 21 g Eiweiß
21 g Fett • 36 g Kohlenhydrate
6 g Ballaststoffe
95 mg Cholesterin

Magere Milchprodukte wie körniger Frischkäse, Quark, saure Sahne und Joghurt, Käsesorten wie Bergkäse, Emmentaler und Parmesan sind bedeutende Kalziumspender. Diese Lebensmittel sollte man täglich essen, denn sie spielen bei der Stärkung der Knochen und bei der Vorbeugung von Osteoporose die wichtigste Rolle.

Überbackene Bohnen mit Couscous

Für 3 Portionen

- 100 g Couscous, 150 ml Wasser
- 3 Knoblauchzehen
- 1 Bund Petersilie
- 75 g Parmesan
- 2 kleine Dosen rote Bohnen
- 2 Packungen Tomatenstücke mit Kräutern
- 1–2 TL Harissa, Salz

Zubereitungszeit 45 Minuten

❶ Couscous mit dem Wasser in eine Schüssel geben und 10 Minuten quellen lassen. Knoblauch zerdrücken, Petersilie fein hacken, Parmesan reiben. Bohnen mit Tomate, Knoblauch, der Hälfte der Petersilie, Harissa und Salz mischen und in eine Gratinform geben.

❷ Couscous mit einer Gabel durchrühren, dabei Parmesan und den Rest der Petersilie unterrühren. Alles über die Bohnen verteilen. Bohnen in den kalten Backofen (mittlere Schiene) schieben und bei 200 °C (Umluft 180 °C, Gas Stufe 3) etwa 30 Minuten backen.

▶ **Pro Portion**
2648/633 kJ/kcal • 43 g Eiweiß
9 g Fett • 84 g Kohlenhydrate
36 g Ballaststoffe • 13 mg Cholesterin

TIP

Harissa ist eine scharfe Paste aus getrockneten roten Chilis, Knoblauch, Kreuzkümmel, Koriandersamen und Salz. Diese typische Würze der nordafrikanischen, israelischen und arabischen Küche bekommen Sie in Tuben oder Gläsern.

Wenn Sie es richtig orientalisch möchten, verwenden Sie statt Petersilie frische Minze.

Schnelle Pizza

Für 6 Portionen

- 500 g tiefgefrorener Blätterteig
- 2 Dosen Pizzatomaten
- 100 g schwarze Oliven
- 1 mittelgroßes Glas eingelegte Peperoni
- 1–2 EL getrockneter Oregano
- Salz, frisch gemahlener Pfeffer
- 500 g Mozzarella

Zubereitungszeit 45 Minuten

❶ Den Blätterteig auftauen lassen. Ein kalt abgespültes Backblech damit auslegen und rundherum an den Seiten einen etwa fingerhohen Rand formen. Den Teigboden mit einer Gabel mehrmals einstechen.

❷ Pizzatomaten, Oliven und abgetropfte Peperoni auf dem Teig verteilen. Mit Oregano, Salz und Pfeffer würzen.

❸ Mozzarella in kleine Würfel schneiden und auf die Pizza legen.

❹ Die Pizza in den kalten Backofen (mittlere Schiene) schieben und bei 200 °C (Umluft 180 °C, Gas Stufe 4) 30 Minuten backen.

▶ **Pro Portion**
2733/454 kJ/kcal • 21 g Eiweiß
47 g Fett • 30 g Kohlenhydrate
3 g Ballaststoffe • 117 mg Cholesterin

Überbackene Béchamelkartoffeln

Die grünen Zwiebelblätter enthalten Beta-Karotin; deshalb nur die welken Blätter entfernen und alles andere mitverwenden. Das sieht schön aus, schmeckt gut und ist obendrein noch richtig gesund.

Für 4 Portionen

- 300 g Lauchzwiebeln
- 2 Knoblauchzehen
- 40 g Butter, 30 g Mehl
- 3/8 l kräftige Gemüsebrühe
- 100 g Sahne
- 500 g gekochte Kartoffeln
- 1 Bund Petersilie
- Salz, frisch gemahlener Pfeffer
- 100 g Emmentaler

Zubereitungszeit 60 Minuten

❶ Lauchzwiebeln putzen, waschen und in fingerbreite Stücke schneiden. Knoblauch hacken. Beide Zutaten im heißen Fett kurz anbraten. Mehl darüber stäuben und unter Rühren hellgelb anrösten. Brühe langsam zugießen und dabei ständig rühren, bis die Sauce glatt ist. Sauce zugedeckt bei schwacher Hitze 5 Minuten kochen. Die Sahne unterrühren.

❷ Kartoffeln schälen und in etwa einen halben Zentimeter dicke Scheiben schneiden. Petersilie fein hacken. Beide Zutaten mit der Sauce mischen. Mit Salz und Pfeffer abschmecken und in eine halbhohe Auflaufform geben. Den Käse reiben und darüber streuen.

❸ Den Auflauf in den kalten Backofen (untere Schiene) stellen und bei 200 °C (Umluft 180 °C, Gas Stufe 3) etwa 30 Minuten backen.

► Pro Portion

1785/427 kJ/kcal • 13 g Eiweiß
25 g Fett • 34 g Kohlenhydrate
5 g Ballaststoffe • 74 mg Cholesterin

TIP

Noch schneller geht es mit fertiger Béchamelsauce aus dem Päckchen.

Nudelgratin

Für 4 Portionen

- 2 kleine Kartoffeln (fest kochende Sorte)
- 250 g Penne oder Gabelspaghetti
- Salz
- 1 Packung tiefgefrorenes Suppengemüse (450 g)
- geriebene Muskatnuss
- frisch gemahlener Pfeffer
- 1 EL Öl
- 1 Zwiebel
- 1 Ei
- 1/8 l Milch
- 100 g Sahne
- 250 g Mozzarella

Zubereitungszeit 50 Minuten

❶ Kartoffeln schälen, waschen und würfeln. Mit den Nudeln in reichlich Salzwasser 5 Minuten sprudelnd kochen lassen. Abgießen, in einer Schüssel mit dem gefrorenen Suppengemüse, Salz, Muskat, reichlich Pfeffer und dem Öl mischen. Zwiebel hacken und unterrühren.

❷ Gemüsemischung in eine flache Gratinform geben. Ei, Milch und Sahne verquirlen und darüber gießen. Mozzarella würfeln und auf dem Gratin verteilen.

❸ Das Gratin in den kalten Backofen (untere Schiene) schieben und bei 180 °C (Umluft 160 °C, Gas Stufe 2) etwa 30 Minuten backen.

► Pro Portion

2772/663 kJ/kcal • 28 g Eiweiß
27 g Fett • 68 g Kohlenhydrate
11 g Ballaststoffe
149 mg Cholesterin

Fenchelgratin

Für 4 Portionen
1 kg Fenchel
2 Tomaten
Salz, frisch gemahlener Pfeffer
200 g Sahne
100 ml Milch
200 g Pizzakäse

Das zarte Fenchelgrün aufheben und am Schluss fein gehackt über das fertige Gratin streuen.

Zubereitungszeit 45 Minuten

❶ Die Fenchelknollen halbieren und den Strunk entfernen. Fenchel waschen und in reichlich kochendem Wasser 3 Minuten sprudelnd kochen lassen. Abgießen und in eine flache Gratinform legen.

❷ Tomaten abziehen, würfeln und auf dem Fenchel verteilen. Das Gemüse mit Salz und Pfeffer würzen. Die Sahne mit Milch verrühren und darüber gießen. Mit dem Käse bestreuen.

❸ Das Gratin in den kalten Backofen (mittlere Schiene) stellen und bei 200 °C (Umluft 180 °C, Gas Stufe 3) etwa 30 Minuten backen, bis es oben schön gebräunt ist. Dazu passen: Bratkartoffeln oder Fladenbrot und Salat.

► Pro Portion

1765/422 kJ/kcal • 21 g Eiweiß
30 g Fett • 14 g Kohlenhydrate
9 g Ballaststoffe • 92 mg Cholesterin

Die Süßen

Quarkpalatschinken mit Kirschen

Für 4 Portionen

Teig:
- 100 g Weizenvollkornmehl
- Salz, 1/4 l Wasser
- 2 Eier, Öl zum Backen

Füllung:
- 1 kleines Glas entsteinte Sauerkirschen
- 300 g Magerquark
- 1–2 EL Dattelsirup oder flüssiger Honig
- abgeriebene Schale von 1/2 unbehandelten Zitrone
- 1/4 TL Vanillepulver
- 2 EL Zitronensaft
- 1 kleines Ei
- 100 g Sahne

außerdem:
- 1/4 l Milch
- 1 EL Butter oder Pflanzenmargarine

Zubereitungszeit 90 Minuten

❶ Mehl mit Salz und Wasser verrühren. Eier untermischen. Pro Pfannkuchen 1 knappen Esslöffel Öl in die Pfanne geben und durch leichtes Schwenken darin verteilen. 1/2 Schöpfkelle oder 4 Esslöffel Teig zugeben und ebenfalls verteilen.

❷ Pfannkuchen zugedeckt backen, bis der Teig auf der Oberseite auch in der Mitte nicht mehr flüssig ist, sich an den Rändern leicht hoch biegt und knusprig wird. Den Pfannkuchen wenden und in der offenen Pfanne bei mittlerer bis schwacher Hitze fertig backen. Die Pfannkuchen auf einer Platte abkühlen lassen.

❸ Für die Füllung die Sauerkirschen auf einem Sieb abtropfen lassen. Den Quark mit Sirup oder Honig, der Zitronenschale, Vanille, Zitronensaft und Ei verrühren. Steif geschlagene Sahne untermischen.

❹ Die Pfannkuchen mit der Quarkcreme bestreichen, die Sauerkirschen darauf verteilen. Die Palatschinken locker aufrollen oder zusammenfalten und nebeneinander in eine flache Gratinform legen. In den kalten Backofen (mittlere Schiene) schieben und bei 200 °C (Umluft 180 °C, Gas Stufe 3) etwa 15 Minuten backen.

❺ Milch und Fett bei mittlerer Hitze heiß werden lassen, bis das Fett geschmolzen ist. Die Mischung über die Pfannkuchen gießen. Alles weitere 15–20 Minuten backen, bis die Milch fast aufgesogen ist und die Quarkpalatschinken eine goldbraune Kruste haben.

► **Pro Portion**
2299/550 kJ/kcal • 22 g Eiweiß
29 g Fett • 43 g Kohlenhydrate
3 g Ballaststoffe • 224 mg Cholesterin

Vanille entfaltet ihr Aroma am besten mit raffiniertem, weißem Zucker, Rohr- oder Rübenzucker. Bei alternativen Süßmitteln mit kräftigem Eigengeschmack wie Dattelsirup oder Honig dosiert man Vanille etwas stärker, damit sie richtig zur Geltung kommt.

Erdnusssoufflé

Im Naturkosthandel bekommen Sie unter den vielen anderen Süßmitteln auch braunen Zucker aus Zuckerrohr oder Rüben. Die Bezeichnungen lauten je nach Hersteller »Rapadura«, »Sucanat«, »Vollzucker«, »Vollrohrzucker«, »Ursüße« oder »Demerara«. Die Herstellung ist bei allen ähnlich: Zuckerrohr oder Rüben werden zerkleinert und ausgepresst. Den gefilterten Saft dickt man ein und trocknet ihn. Dabei bilden sich Zuckerstücke, die fein vermahlen werden.

Für 4 Portionen

100 g ungesalzene Erdnusskerne
75 g weiche Butter oder Pflanzenmargarine
50 g Mehl
2 EL Rohr- oder Rübenzucker
1/4 l Milch
1 TL Vanillezucker
abgeriebene Zitronenschale
1 Prise Salz, 5 Eier
2 EL Orangensaft
70 g Puderzucker

Zubereitungszeit 90 Minuten

❶ Die Erdnusskerne fein mahlen. 50 Gramm weiches Fett und das Mehl mit einer Gabel verkneten. Eine hohe Auflaufform am Boden und unteren Rand mit dem restlichen Fett ausstreichen und mit 1 Esslöffel Zucker ausstreuen.

❷ Die Milch mit dem restlichen Zucker, Vanillezucker, Zitronenschale und Salz aufkochen. Mehlbutter mit einem Schneebesen einrühren, bis die Sauce gleichmäßig dick ist. Noch einmal aufkochen.

❸ Das Mehlmus in eine Schüssel geben. Ein ganzes Ei und den Orangensaft untermischen. Das Mus abkühlen lassen.

❹ Die restlichen Eier trennen. Eiweiß mit etwa der Hälfte des Puderzuckers steif schlagen. Zuerst Eigelb, dann den restlichen Puderzucker und zuletzt ein Viertel des Eischnees mit dem Schneebesen in das Mehlmus rühren.

❺ Restlichen Eischnee auf die Soufflémasse geben. Die gemahlenen Erdnüsse darüber streuen. Alles mit dem Schneebesen mischen, in die Form füllen und mit Rohrzucker bestreuen.

❻ Das Soufflé in den kalten Backofen (untere Schiene) stellen und bei 180 °C (Umluft 160 °C, Gas Stufe 2) etwa 45 Minuten backen, bis es hoch aufgegangen, an der Oberfläche aufgeplatzt und schön gebräunt ist.
Dazu passen: Erdbeeren, Zwetschen- oder Rhabarberkompott.

► **Pro Portion**
2561/613 kJ/kcal • 20 g Eiweiß
39 g Fett • 41 g Kohlenhydrate
3 g Ballaststoffe • 352 mg Cholesterin

Gratinierte Birnen mit Zimtsauce

Für 6 Portionen

Zimtsauce:

2 EL Sahnepuddingpulver
1/2 l Milch
2 EL Zucker
1/2 TL Zimtpulver
2 EL Orangenlikör
100 g Sahne

Gratin:

3 große, feste Birnen (etwa 600 g)
Saft von 1 kleinen Orange
100 g Butter
100 g Zucker
1/2 TL Zimtpulver
1 EL Speisestärke
2 EL Wasser
abgeriebene Schale von 1 unbehandelten Zitrone

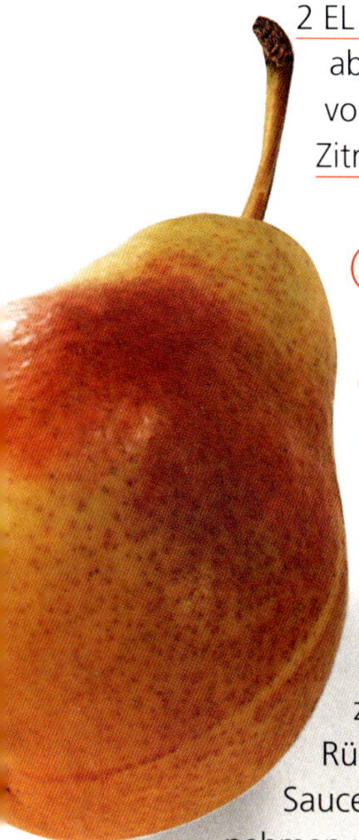

Zubereitungszeit 60 Minuten

❶ Puddingpulver in etwas Milch glattrühren. Zucker und Zimt mischen, mit der restlichen Milch verrühren und erhitzen. Puddingpulver zugeben und unter Rühren aufkochen. Sauce von der Kochstelle nehmen und unter Rühren abkühlen lassen. Zuerst den Orangenlikör, dann die steif geschlagene Sahne untermischen.

❷ Birnen vierteln, schälen, vom Kerngehäuse befreien und in Spalten schneiden. Dachziegelförmig in eine flache Gratinform legen und mit 2 Esslöffel Orangensaft beträufeln.

❸ Butter schmelzen. Zucker, Zimt und den restlichen Orangensaft zugeben und 10 Minuten bei schwacher Hitze kochen. Speisestärke mit Wasser glattrühren, Zitronenschale untermischen. Über die Birnen gießen.

❹ Die Birnen in den kalten Backofen (mittlere Schiene) schieben und bei 180 °C (Umluft 160 °C, Gas Stufe 2) etwa 20 Minuten backen, bis sie gar sind.

❺ Das Gratin auf Portionstellern anrichten und jeweils mit 1 oder 2 Esslöffel Zimtsauce überziehen. Den Rest der Sauce dazu servieren.

► **Pro Portion**
1782/426 kJ/kcal • 4 g Eiweiß
22 g Fett • 47 g Kohlenhydrate
3 g Ballaststoffe • 68 mg Cholesterin

Rohr- oder Rübenzucker enthält zwar ein paar mehr Inhaltsstoffe und etwas weniger Zucker als weißer, raffinierter Zucker. Trotzdem ist er nicht »gesund«: Der Gehalt an Mineralstoffen spielt keine Rolle und in größeren Mengen verursacht auch »natürlicher« Zucker Zivilisationskrankheiten wie Übergewicht und Karies.

Sagoauflauf mit Obst

Sago gewinnt man aus dem Mark der Sagopalme. Die mächtigen Palmen wachsen auf den Philippinen, in Südostasien und Indien und blühen erst zwischen ihrem 10. und 15. Lebensjahr. Dann hat das Mark im bis zu einem Meter dicken Stamm den höchsten Stärkegehalt. Bei uns bekommen Sie nur die Sagoperlen: Die Stärke wird in Wasser gelöst, durch Siebe gedrückt und getrocknet. Echter Palmensago ist der beste. Wenn andere Stärke aus Kartoffeln, Mais oder Weizen beigemischt ist, muss das auf der Packung vermerkt sein.

Für 5 Portionen

- 100 g Erdbeeren
- 150 g Zucker
- 250 g Rhabarber
- Schale von 1/2 unbehandelten Zitrone
- 3/4 l Milch
- 125 g Sago
- 3 Eier
- 100 g weiche Butter oder Pflanzenmargarine
- 1 TL Vanillepulver
- Fett für die Form

Zubereitungszeit 90 Minuten

❶ Erdbeeren waschen, abzupfen und mit der Hälfte des Zuckers mischen. Zugedeckt 10 Minuten ziehen lassen.

❷ Rhabarber waschen, abziehen und die Stangen in etwa fingerbreite Stücke schneiden. Mit den Erdbeeren und einem großen Stück Zitronenschale aufkochen und zugedeckt bei schwacher Hitze etwa 5 Minuten garen. Anschließend abkühlen lassen.

❸ Die Milch aufkochen, Sago unterrühren und einmal aufkochen. Deckel halb auf den Topf legen und Sago bei schwächster Hitze etwa 10 Minuten kochen, bis er glasig ist. Zugedeckt abkühlen lassen.

Mit einer Suppe vorweg ist dieser Auflauf ein sättigendes, süßes Hauptgericht.

❹ Eier trennen. Eigelb mit dem restlichen Zucker und dem Fett schaumig rühren. Etwas abgeriebene Zitronenschale, Vanillepulver und den Sagobrei untermischen. Eischnee vorsichtig unterziehen.

❺ Schichtweise Teig und Erdbeer-Rhabarber-Kompott in eine gefettete, hohe Auflaufform geben und in den kalten Backofen (mittlere Schiene) stellen. Auflauf bei 200 °C (Umluft 180 °C, Gas Stufe 3) etwa 45 Minuten backen, bis er schön gebräunt ist.

► Pro Portion

2360/564 kJ/kcal • 10 g Eiweiß
28 g Fett • 61 g Kohlenhydrate
2 g Ballaststoffe • 210 mg Cholesterin

Rezeptregister

Sachregister

Zutatenregister